Antonella Battaglia
Loredana Tarini

PRATICAMENTE
dimmi...

Grammar notes
Glossario

Guerra Edizioni

INDICE

Unità 1

> Alfabeto

> Parole interrogative

> Identificazione personale

> Essere

> Avere

> Articoli determinativi/indeterminativi

> Nomi

> Aggettivi

Alfabeto - *Alphabet*

There are 26 letters in the Italian alphabet:

A	B	C	D	E	F	G	H	I	L	M	N	O	P	Q	R	S	T	U	V	Z
a	bi	ci	di	e	effe	gi	acca	i	elle	emme	enne	o	pi	cu	erre	esse	ti	u	vu/vi	zeta

There are five letters in the Italian alphabet that are of foreign origin:

K	J	W	X	Y
cappa	i lunga	vu doppia	ics	ipsilon/ i greca

In Italian, words are generally pronounced as they are written. Note these particular features:

C	che	chi	ca	co	cu
	perché	mi chiamo	casa	cosa	cucina

[k]

	ce	ci
	cena	ciao

[tʃ]

G	ghe	ghi	ga	go	gu
	spaghetti	ghiaccio	pagare	agosto	gusto

[g]

	ge	gi
	gelato	giorno

[dʒ]

Gl	famiglia, figlio, figlia, aglio

[ʎ]

Gn	gnocchi, signora, compagno

[ɲ]

H	hotel, hockey, ho

[silent]

Qu	quando, quale, quattro, cinque

[ku]

r	rosso, risposta

[resonant]

Sc	sche	schi	sca	sco	scu
	pesche	schiena	scarpe	casco	scusi

[sk]

	sce	sci
	pesce	uscita

[ʃ]

Osserva!

- When one vowel is followed by another, each is pronounced individually, as in these words:
  laurea (a-u), euro (e-u), aereo (a-e)

- Double consonants are pronounced differently from their single counterpart:
  note - notte / sete - sette / caro - carro

L'accento - *Stress/accents*

- Most words are pronounced with the stress on the next-to-the-last syllable:

domanda   giornale   cucina
  ▲   ▲   ▲

- Some words are, however, stressed on a different syllable:

perdere   ginnastica   piccolo
  ▲   ▲   ▲

- When words are stressed on the last syllable there is always a written accent:

università   caffè   perché
  ▲   ▲   ▲

- A written accent is also used to distinguish some single syllable words with different meanings:

  è   (she/he/it   is)   e (and)

Frasi dichiarative e interrogative
Declarative and interrogative sentences

In Italian there is not a distinction between the construction of a declarative sentence and an interrogative sentence. The only difference is the intonation:

Sandro e Rita sono in Spagna.   Sandro e Rita sono in Spagna?

Note that, in the interrogative sentence, the intonation rises.

Parole interrogative - *Interrogative words*

Here is a list of common interrogatives in Italian:

Chi? = Who? Chi è il tuo professore? *Who is your professor?*
Cosa / che cosa / che? = What? Cosa studi? *What do you study?*
Dove? = Where? Dove abiti? *Where do you live?*
Di dove? = From where? Di dove sei? *Where are you from?*
Come? = How? Come stai? *How are you?*
Quando? = When? Quando apre la banca? *When does the bank open?*
Perché? = Why? Perché studi italiano? *Why do you study Italian?*
Quanto/a? = How much? Quanto (+ verb or singular masculine noun) Quanta (+ singular feminine noun) Quanto costa questa borsa? *How much does this purse cost?* Quanto vino compro? *How much wine do I buy?* Quanta pizza vuoi? *How much pizza do you want?* **Quanti/e? = How many?** Quanti (+ plural masculine noun) Quante (+ plural feminine noun) Quanti fratelli hai? *How many brothers do you have?* Quante sorelle hai? *How many sisters do you have?* **Quale/i? = Which?** Quale (+ singular noun) Quali (+ plural noun) Quale libro prendi? *Which book do you take?* Quali libri prendi? *Which books do you take?*

Pronomi personali - *Personal pronouns*

io	*I*
tu	*you (familiar)*
lui	*he*
lei	*she*
Lei	*you (formal)*
noi	*we*
voi	*you (plural)*
loro	*they*

The form **Lei** (for both male and female) is used to address someone formally.

Signor Bini, (Lei) è italiano?   Sì, sono italiano.

Mr. Bini, are you Italian?   *Yes, I am.*

Verbo Essere - *Verb To be*

The present tense of **essere** (to be) is irregular. Note that the subjects pronouns are in parenthesis because in Italian the verb form itself identifies the subject.

Sei italiano?   Sì, sono italiano.

Are you Italian?   *Yes, I am Italian.*

(io)	**sono**	*I am*
(tu)	**sei**	*you are (singular)*
(lui - lei - Lei)	**è**	*he/she/it is* *you are (formal)*
(noi)	**siamo**	*we are*
(voi)	**siete**	*you are (plural)*
(loro)	**sono**	*they are*

C'è /Ci sono - *There is /There are*

C'È + a noun in the singular form	CI SONO + a noun in the plural form

C'è un mercato qui vicino.
There is a market near here.

Ci sono molti studenti stranieri a Perugia.
There are many foreign students in Perugia.

Verbo Avere - *To Have*

The present tense of **avere** (to have) is irregular.

Hai una bicicletta?   Sì, ho una bicicletta.
Do you have a bike?   Yes, I have a bike.

(io)	**ho**	*I have*
(tu)	**hai**	*you have (singular)*
(lui - lei - Lei)	**ha**	*he/she/it has* *you have (formal)*
(noi)	**abbiamo**	*we have*
(voi)	**avete**	*you have (plural)*
(loro)	**hanno**	*they have*

Espressioni idiomatiche con avere - *Idiomatic expressions with "avere"*

Avere is used in many idiomatic expressions.

Ho voglia di un bicchiere di vino rosso.
I feel like having a glass of red wine.

Hai caldo? Apri la finestra!
Are you hot? Open the window!

avere caldo	*to be hot*	avere freddo	*to be cold*
avere fame	*to be hungry*	avere sete	*to be thirsty*
avere ... anni	*to be ... years old*	avere bisogno di	*to need*
avere sonno	*to be sleepy*	avere voglia di	*to feel like*
avere paura di	*to be afraid of*	avere la febbre	*to have a fever*
avere mal di gola	*to have a sore throat*		
avere mal di testa	*to have a head ache*		
avere mal di stomaco	*to have a stomach ache*		

 Attenzione! Si dice: SONO stanco/a   *I am tired.*

Nomi - *Nouns*

Nouns ending in "-o"/ "-a" in the singular form

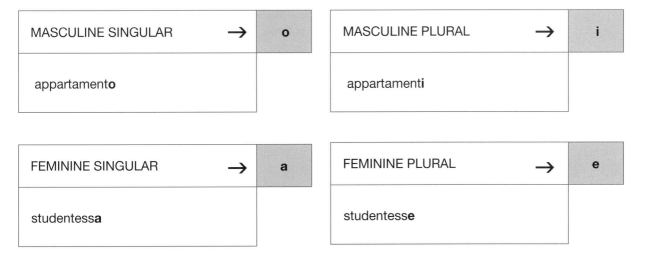

MASCULINE SINGULAR →	o	MASCULINE PLURAL →	i
appartament**o**		appartament**i**	

FEMININE SINGULAR →	a	FEMININE PLURAL →	e
studentess**a**		studentess**e**	

Generally nouns ending in **-o in the singular** form are masculine and they change to **-i in the plural** form. Generally feminine nouns end in **-a in the singular** form and in **-e in the plural** form.

In Italian, there is also a group of masculine and feminine nouns ending in **-e in the singular** form and in **-i in the plural** form.

Nouns ending in "-e" in the singular form

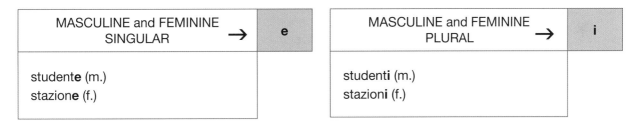

MASCULINE and FEMININE SINGULAR →	e	MASCULINE and FEMININE PLURAL →	i
student**e** (m.) stazion**e** (f.)		student**i** (m.) stazion**i** (f.)	

To summarize:

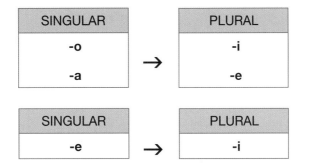

SINGULAR		PLURAL
-o	→	-i
-a		-e

SINGULAR		PLURAL
-e	→	-i

Alcuni nomi di uso comune che finiscono con la "e" al singolare
Common nouns ending in "-e" in the singular form

FEMININE SINGULAR	
attrice	*actress*
cantante	*singer*
canzone	*song*
chiave	*key*
classe	*classroom*
colazione	*breakfast*
lezione	*lesson*
madre	*mother*
moglie	*wife*
pittrice	*painter*
scrittrice	*writer*
stazione	*station*

MASCULINE SINGULAR	
attore	*actor*
bicchiere	*glass*
cameriere	*waiter*
cane	*dog*
cantante	*singer*
dottore	*doctor*
esame	*exam*
fiume	*river*
giornale	*newspaper*
padre	*father*
pane	*bread*
pittore	*painter*
ponte	*bridge*
professore	*professor*
ristorante	*restaurant*
scrittore	*writer*
signore	*gentleman*
studente	*student*

Alcuni nomi di uso comune invariabili
Common invariable nouns

Some nouns do not change in the plural form.

Note that nouns ending with a consonant (bar, autobus ...) are generally masculine.

SINGULAR		PLURAL
auto	*car*	auto
autobus	*bus*	autobus
bancomat	*bank machine*	bancomat
bar	*bar*	bar
caffè	*coffee*	caffè
cinema	*cinema*	cinema
città	*city*	città
computer	*computer*	computer
film	*film*	film
foto	*picture*	foto
moto	*motorcycle*	moto
pub	*pub*	pub
radio	*radio*	radio
sport	*sport*	sport
stereo	*stereo*	stereo
tè	*tea*	tè
tiramisù	*tiramisù*	tiramisù
università	*university*	università

Nouns ending in -CA have the plural form in -CHE.

SINGULAR	PLURAL
amica	amiche
banca	banche

The word UOMO is irregular.

SINGULAR	PLURAL
uomo	uomini

Articoli - *Articles*

Articoli determinativi - *Definite articles*

In English l'**articolo determinativo** (the definite article) has only one form: " *the*". In Italian the definite article has different forms according to the first letter of the noun it precedes and to the gender and number of the noun to which it refers.

MASCULINE	SINGULAR	PLURAL
in front of consonants	**il** ragazzo	**i** ragazzi
in front of vowels (a, e, i, o, u)	**l'**amico	**gli** amici
in front of s + consonant and z, ps, y	**lo** studente zaino	**gli** studenti zaini

FEMININE	SINGULAR	PLURAL
in front of consonants	**la** ragazza	**le** ragazze
in front of vowels (a, e, i, o, u)	**l'**amica	**le** amiche

Articoli indeterminativi - *Indefinite articles*

The Italian **articolo indeterminativo** (indefinite article) corresponds to the English article *"a/an"*.

MASCULINE	SINGULAR
in front of consonants and vowels	**un** ragazzo amico
in front of s + consonant and z, ps, y	**uno** studente zaino

FEMININE	SINGULAR
in front of consonants	**una** ragazza
in front of vowels (a, e, i, o, u)	**un'**amica

Aggettivi - *Adjectives*

1st group

Adjectives whose **masculine singular form ends in -o** take four endings.

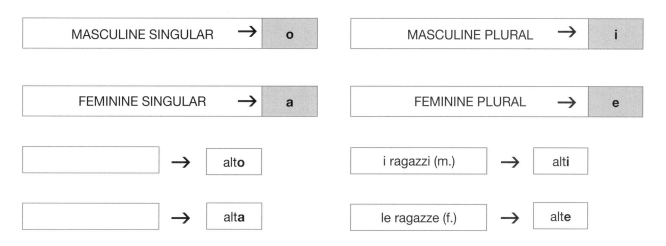

| MASCULINE SINGULAR → | o |
| FEMININE SINGULAR → | a |

| MASCULINE PLURAL → | i |
| FEMININE PLURAL → | e |

| → | alt**o** |
| → | alt**a** |

| i ragazzi (m.) → | alt**i** |
| le ragazze (f.) → | alt**e** |

2st group

Adjectives whose **masculine singular form ends in -e** take two endings.

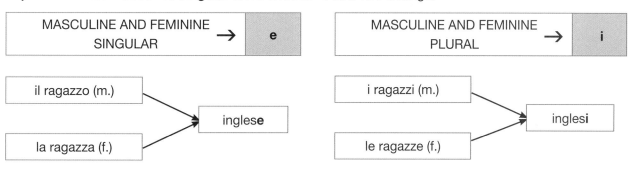

| MASCULINE AND FEMININE SINGULAR → | e |
| MASCULINE AND FEMININE PLURAL → | i |

il ragazzo (m.)
la ragazza (f.)
→ ingles**e**

i ragazzi (m.)
le ragazze (f.)
→ ingles**i**

To summarize:

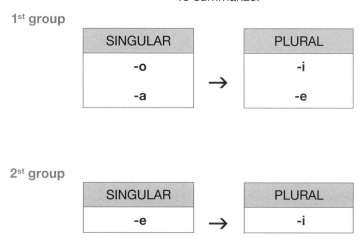

1st group

SINGULAR		PLURAL
-o	→	-i
-a		-e

2st group

SINGULAR		PLURAL
-e	→	-i

In Italian, adjectives always agree in gender and number with the nouns they modify and they usually come after the nouns.

Alcuni aggettivi di uso comune che finiscono con la "-e" al singolare
Common adjectives ending in -e in the singular form

SINGULAR		PLURAL
differente	*different*	differenti
difficile	*difficult*	difficili
divertente	*fun, entertaining*	divertenti
dolce	*sweet*	dolci
elegante	*elegant*	eleganti
facile	*easy*	facili
forte	*strong*	forti
gentile	*nice*	gentili
giovane	*young*	giovani
grande	*big, large*	grandi
intelligente	*intelligent*	intelligenti
interessante	*interesting*	interessanti
ospitale	*hospitable*	ospitali
pesante	*heavy*	pesanti
simile	*similar*	simili
uguale	*equal, identical*	uguali

 **Osserva!**

Adjectives ending in -ca in the singular form, end in -che in the plural form.

SINGULAR	PLURAL
simpatica	simpatiche
antica	antiche

Alcuni aggettivi di uso comune con i loro opposti:
Here is a list of commonly used adjectives with their opposite:

alto/a	*tall*	basso/a	*short*
antico/a	*old*	moderno/a	*modern*
aperto/a	*open*	chiuso/a	*closed*
bello/a	*beautiful*	brutto/a	*ugly*
buono/a	*good*	cattivo/a	*bad*
caldo/a	*hot*	freddo/a	*cold*
comodo/a	*comfortable*	scomodo/a	*uncomfortable*
costoso/a (caro/a)	*expensive*	economico/a	*cheap*
divertente	*fun, entertaining*	noioso/a	*boring*
elegante	*elegant*	sportivo/a	*casual*
facile	*easy*	difficile	*difficult*
giovane	*young*	anziano/a	*old*
grande	*big/large*	piccolo/a	*small*
interessante	*interesting*	noioso/a	*boring*
lungo/a	*long*	corto/a	*short*
largo/a	*wide*	stretto/a	*narrow/tight*
magro/a	*thin*	grasso/a	*fat*
molto/a (tanto/a)	*many/a lot*	poco/a	*few*
pieno/a	*full*	vuoto/a	*empty*
pulito/a	*clean*	sporco/a	*dirty*
silenzioso/a	*silent, quite*	rumoroso/a	*loud*
simpatico/a	*nice, friendly*	antipatico/a	*unfriendly*
uguale	*equal, identical*	differente (diverso/a)	*different*
vecchio/a	*old*	nuovo/a	*new*
veloce	*fast*	lento/a	*slow*
vicino/a	*near*	lontano/a	*far*

Colori - *Colours*

orange
light blue
white
yellow
grey
brown
black
red
green
blue
pink
purple

 **Osserva!**

In Italian **bello**, **brutto**, **bravo** and **buono** are usually placed in front of the noun:

è un buon ristorante	*it is a good restaurant*
è una bella città	*it is a beautiful city*
è un bravo ragazzo	*he is a good kid*
è un brutto momento	*it is a bad moment*

Buono, bello, bravo, bene

All of these words have a positive connotation:
BUONO decribes a character of a person or the quality of a food or drink.

BELLO describes the appearance or the quality of a thing (city, film, book etc.).

BRAVO describes the ability or skill of a person such as a singer, actor or student. In the expressions "una brava persona", "un bravo ragazzo", "brava"/"bravo" mean good, honest, intelligent.

BENE also indicates ability and is used with a verb. For example: "parlo bene" *(I speak well)*, "canta bene" *(he sings well)*.
The expression "stare bene" means to be in good health
(Come stai? Sto bene = *How are you? I'm fine*).

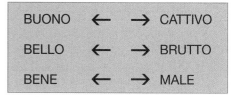

BUONO	← →	CATTIVO
BELLO	← →	BRUTTO
BENE	← →	MALE

Unità 2

> Presente: verbi regolari e irregolari

> Molto

Presente indicativo dei verbi regolari
Present indicative of regular verbs

Il **presente indicativo** (Present Indicative) is used to describe situations and actions in the present. It corresponds to different English forms.

Leggo il giornale. *I read the newspaper/ I am reading the newspaper/I do read the newspaper.*

It is also used to express future actions (especially when they are fairly certain to take place).

L'estate prossima vado in Spagna. *Next summer I will go to Spain.*

Domani vado a una festa. *Tomorrow I will go to a party.*

Italian has three verb conjugations. To form the present indicative of regular verbs, drop the infinitive endings -are, -ere, -ire and add the following endings to the verb stems:

	ARE PARLARE	ERE PRENDERE	IRE DORMIRE
io	parl**o**	prend**o**	dorm**o**
tu	parl**i**	prend**i**	dorm**i**
lui/lei/Lei	parl**a**	prend**e**	dorm**e**
noi	parl**iamo**	prend**iamo**	dorm**iamo**
voi	parl**ate**	prend**ete**	dorm**ite**
loro	parl**ano**	prend**ono**	dorm**ono**

Verbi in ire con -isc
Verbs inserting -isc

Some -ire verbs are conjugated by inserting -isc between the stem and the ending of the 1st, 2nd and 3rd person singular and the 3rd person plural.

	CAPIRE	FINIRE	PREFERIRE	SPEDIRE
io	cap**isc**o	fin**isc**o	prefer**isc**o	sped**isc**o
tu	cap**isc**i	fin**isc**i	prefer**isc**i	sped**isc**i
lui/lei/Lei	cap**isc**e	fin**isc**e	prefer**isc**e	sped**isc**e
noi	capiamo	finiamo	preferiamo	spediamo
voi	capite	finite	preferite	spedite
loro	cap**isc**ono	fin**isc**ono	prefer**isc**ono	sped**isc**ono

Verbi regolari di uso comune
Regular verbs commonly used in Italian

abitare *to live*	frequentare *to attend*	pranzare *to have lunch*
aprire *to open*	fumare *to smoke*	prendere *to take*
arrivare *to arrive*	giocare *to play a sport, a game*	prenotare *to reserve*
assaggiare *to taste*	guardare *to watch*	preparare *to prepare*
ascoltare *to listen to*	guidare *to drive*	provare *to try*
aspettare *to wait for*	imparare *to learn*	restare *to stay*
cantare *to sing*	incontrare *to meet*	ricordare *to remember*
cenare *to have dinner*	insegnare *to teach*	rispondere *to answer*
cercare *to look for*	lavare *to wash*	ritornare *to return*
chiedere *to ask*	lavorare *to work*	salutare *to greet*
chiudere *to close*	leggere *to read*	sciare *to ski*
cominciare *to begin*	mangiare *to eat*	scrivere *to write*
comprare *to buy*	mettere *to put*	sentire *to hear, to feel*
conoscere *to know*	nuotare *to swim*	spendere *to spend*
correre *to run*	offrire *to offer*	studiare *to study*
cucinare *to cook*	ordinare *to order*	suonare *to play an instrument*
dimenticare *to forget*	pagare *to pay*	telefonare *to call*
dipingere *to paint*	parlare *to talk, to speak*	vedere *to see*
disegnare *to draw*	partire *to leave*	vendere *to sell*
domandare *to ask*	pensare *to think*	viaggiare *to travel*
dormire *to sleep*	perdere *to lose*	vivere *to live*

-IRE + ISC

capire	**finire**	**preferire**	**spedire**
to understand	*to finish*	*to prefer*	*to send*

 **Osserva!**

Verbs ending in -iare: retain only one **i** in the TU and NOI forms:

mangiare: tu mang**i**   noi mang**i**amo

Verbs ending in -care and -gare: insert an **h** between the stem and the ending **i** in the TU and NOI forms:

giocare: tu gioc**h**i   noi gioc**h**iamo

Presente indicativo dei verbi irregolari
Present indicative of irregular verbs

Here is a list of some common irregular verbs:

andare *to go*
bere *to drink*
dare *to give*
dire *to say/to tell*
fare *to do/to make*
rimanere *to remain*
stare *to stay*
uscire *to go out (socially), to exit*
venire *to come*

 **Osserva!**

Note that **stare** and **fare** are used in idiomatic expressions where they take on different meanings.

Stare:

Come stai? Sto bene, grazie.   *How are you? I am fine, thank you.*

Stasera non esco, sto a casa.   *Tonight I am not going out, I am staying at home.*

Fare:

For a list of idiomatic expressions with **fare** see the chart on page 24.

Verbi irregolari al presente
Irregular verbs in the Present Indicative form

FARE
faccio
fai
fa
facciamo
fate
fanno

ANDARE
vado
vai
va
andiamo
andate
vanno

USCIRE
esco
esci
esce
usciamo
uscite
escono

STARE
sto
stai
sta
stiamo
state
stanno

RIMANERE
rimango
rimani
rimane
rimaniamo
rimanete
rimangono

VENIRE
vengo
vieni
viene
veniamo
venite
vengono

BERE
bevo
bevi
beve
beviamo
bevete
bevono

DIRE
dico
dici
dice
diciamo
dite
dicono

DARE
do
dai
dà
diamo
date
danno

 **Osserva!**

Fare corresponds to the English *to do* and *to make*.

The verb **fare** is used in many idiomatic expressions:

fare colazione	*to have breakfast*	fare il biglietto	*to buy a ticket*
fare un giro	*to take a walk/a tour*	fare la valigia	*to pack*
fare una passeggiata	*to take a walk*	fare una domanda	*to ask a question*
fare foto	*to take pictures*	fare la lavatrice	*to do the laundry*
fare la doccia	*to take a shower*	fare i compiti	*to do one's homework*
fare il bagno	*to take a bath*	fare freddo ≠ fare caldo	*It is cold ≠ It is hot (weather)*
fare la spesa	*to go grocery shopping*		
fare spese	*to go shopping*	fare brutto tempo ≠ fare bel tempo	*It is bad weather ≠ It is good weather*
fare la fila (la coda)	*to wait on line*		
fare un viaggio	*to take a trip*	fare una gita	*to take a tour*
		fare sport	*to practice a sport*

Verbi servili potere, dovere, volere - *Modal verbs*

Andiamo al cinema stasera? Mi dispiace non **posso**, **devo** studiare per l'esame.
Shall we go to the movies tonight? I am sorry, I can't, I must study for the exam.

Domani **voglio** andare a Torino.
I want to go to Torino tomorrow.

potere   *to be able to, can, may*
dovere   *to have to, must*
volere   *to want*

POTERE	DOVERE	VOLERE
posso	devo	voglio
puoi	devi	vuoi
può	deve	vuole
possiamo	dobbiamo	vogliamo
potete	dovete	volete
possono	devono	vogliono

Note that if a verb follows these modal verbs, it is in the infinitive form:

Buongiorno, **posso** <u>entrare</u>? *Hello, may I come in?*
Domani **devo** <u>telefonare</u> ai miei genitori. *I must call my parents tomorrow.*
L'estate prossima **voglio** <u>andare</u> in India. *Next summer I want to go to India.*

Volere is also frequently used for invitations or offers:

Volete venire a teatro domani sera? *Would you like to come to the theater tomorrow night?*
Vuoi un caffè? Sì, grazie. *Would you like a coffee? Yes, please.*

Conoscere e sapere - *To know*

Conoscere + a person/a place/a subject:

Conosco Paolo. *I know Paolo.*
Conosco Siena. *I know Siena.*
Conosco l'arte medievale. *I know medieval art.*

Sapere + a fact (who, what, when, where, why):

So chi è il presidente di questo Paese. *I know who the President of this Country is.*
So dov'è la stazione. *I know where station is.*
So quando arriva Livia. *I know when Livia arrives.*

Sapere + verbo all'infinito:

When followed by an infinitive, **sapere** means *to be able to do something, to know how to do something.*
So sciare. *I know how to ski.*
So parlare inglese e francese. *I know how to speak English and French.*

Conoscere is a regular verb. **Sapere** is an irregular verb.

sapere
so
sai
sa
sappiamo
sapete
sanno

Il presente progressivo - *Present continuous*

La torta è pronta e tu cosa stai facendo?
The cake is ready. What are you doing?

Sto preparando la pasta.
I am making pasta.

sto **cucinando**	*I am cooking*	
stai **cucinando**	*you are cooking*	**VERB STARE + GERUND**
sta **cucinando**	*he/she is cooking*	To express an action in progress and not with a sense of future.
stiamo **cucinando**	*we are cooking*	
state **cucinando**	*you are cooking*	
stanno **cucinando**	*they are cooking*	

 **Osserva!**

Sto preparando la pasta = *I am making pasta right now.*
BUT: Tutti i giorni preparo la pasta = *I make pasta every day.*

Unità 3

> Preposizioni

Preposizioni - *Prepositions*

The simple prepositions in Italian are:

DI	A	DA	IN	CON	SU	PER	TRA (FRA)

Italian prepositions ought to be learned **by their context in Italian**. Often the best way to learn them is by memorization.

It will help you to keep in mind what their English equivalent is in certain contexts as frequently they cannot be translated literally.

I. Preposizioni usate per presentarsi
Prepositions used to introduce yourself

Di dove sei?
Where are you from?

Sono **di** Boulder, **in** Colorado.
I am from Boulder, in Colorado.

Perché sei **in** Italia?
Why are you in Italy?

Sono in Italia **per** studiare.
I am in Italy to study.

Da quanto tempo sei in Italia?
How long have you been in Italy?

Sono in Italia **da** tre settimane.
I have been in Italy for three weeks.

Per quanto tempo rimani in Italia?
How long will you be in Italy?

Rimango **per** tre mesi. Rimango **fino a** dicembre.
I will be in Italy for three months. I will stay here until December.

Quando ritorni **negli** Stati Uniti?
When will you go back to the United States?

Ritorno **negli** Stati Uniti **tra** un mese.
I will return to the United States in a month.

II. Preposizioni usate per indicare dove sei e dove vai: a/in/da
Prepositions used to indicate where you are and where you go: a/in/da

A	IN
1. A + cities Sono **a** Firenze. *I am in Florence.* Abito **a** Boston. *I live in Boston.* Note: Sono **a** Firenze *(right now I am in Florence)*. Sono **di** Firenze *(I am originally from Florence)*. Note: Vado **a** Roma. *I am going to Rome.* But with the verb partire, **da** and **per** are used: Parto **da** Firenze **per** Roma. *I am leaving from Florence for Rome.* **2. A + verbs in the infinitive** Vado **a** studiare in biblioteca. *I am going to the library to study.* **3. A + the following nouns combined with the article** **al** cinema　　　　　*(cinema)* **all'**aeroporto　　　　*(airport)* **al** ristorante　　　　*(restaurant)* **alla** stazione　　　　*(station)* **al** bar　　　　　　*(bar)* **alla** festa　　　　　*(party)* **al** mercato　　　　　*(market)* **all'**università　　　　*(university)* **al** supermercato　　*(supermarket)* **all'**ufficio postale　　*(post office)* **al** mare　　　　　　*(sea-beach)* **allo** stadio　　　　　*(stadium)* **al** concerto　　　　　*(concert)* **4. A + scuola/lezione/piedi/casa/letto/teatro.** With these words the preposition **a** is not combined with the article: La mattina vado **a** scuola. *I go to school every morning.* Vado **a** lezione di italiano. *I am going to my Italian class.* Vado sempre **a** piedi. *I always go on foot.* Il pomeriggio ritorno **a** casa. *I return home in the afternoon.* La sera vado sempre **a** letto presto. *I always go to bed early in the evening.* Il sabato vado spesso **a** teatro. *On Saturdays, I often go to the theatre.*	**5. IN + regions/nations/states/continents** Sono **in** Toscana, **in** Italia, **in** Europa. *I am in Tuscany, in Italy, in Europe.* Abito **in** California. *I live in California.* Studio **in** Colorado. *I study in Colorado.* Note: Abito **nello** stato di New York. *(I live in the State of NY).* Abito **negli** Stati Uniti. *(I live in the US).* **6. IN + nouns ending in eca/eria/ia** Vado **in** biblioteca. *I am going to the library.* Vado **in** discoteca. *I am going to the night club.* Vado **in** farmacia. *I am going to the pharmacy.* Vado **in** pizzeria. *I am going to the pizza store.* **7. IN + an address** La scuola è **in piazza** Oberdan. *The school is in piazza Oberdan.* Abito **in via** Cavour. *I live on via Cavour.* **8. IN + rooms** Sono **in** camera.　*I am in my bedroom.* Vado **in** bagno.　*I am going to the bathroom.* Sei **in** cucina?　*Are you in the kitchen?* Sono **in** salotto.　*I am in the livingroom.* **9. IN + means of transportation** In this case "in" corresponds to the English "by" (by bike, by train, by bus, by plain, by car). Vengo a scuola **in** bicicletta. *I come to school by bike.* Parti **in** aereo o **in** macchina? *Are you living by plane or car?* **10. IN + the following nouns** **in** albergo　　　　*(hotel)* **in** banca　　　　　*(bank)* **in** campagna　　　*(country side)* **in** centro　　　　　*(downtown)* **in** chiesa　　　　　*(church)* **in** città　　　　　　*(city)* **in** periferia　　　　*(periphery of a city)* **in** classe　　　　　*(class)* **in** montagna　　　*(mountain)* **in** palestra　　　　*(gym)* **in** piscina　　　　　*(swimming pool)* **in** ufficio　　　　　*(office)* **in** vacanza　　　　*(vacation)*

DA is used with a person's name, a stressed pronoun (me, te, lui, lei, noi, voi, loro) or a noun referring to a person to express at/to the house of and at the place/business of.

DA
da (without the article) + name of a person **da** (without the article) + me/te/lui/lei/noi/voi/loro Vado **da** Jennifer. *I am going to Jennifer's.* Venite a cena **da** me stasera? *Do you want to have dinner to my apartment tonight?* **da combined with the article** + nouns referring to a person Vado **dalla** mia amica. *I am going to my friend's (house).* Vado **dal** dottore. *I am going to the doctor's (office).* Vado **dal** dentista. *I am going to the dentist's (office).*

III. Preposizioni usate per indicare dov'è un oggetto o una persona
Prepositions used to indicate the location of an object or person

sotto	*under*	sopra/su	*on/over/above*
davanti a	*in front of/opposite*	dietro	*behind*
vicino a	*near*	lontano da	*far from*
dentro/in	*inside/ in*	fuori	*out/outside*
tra	*between/among*		

IV. Preposizioni usate per dire l'ora e dare indicazioni di tempo
Prepositions used to tell time and used in conjunction with time expressions

A che ora? *At what time?*

ALL'UNA
at one o'clock

ALLE DUE
at two o'clock

ALLE TRE
at three o'clock

ALLE QUATTRO
at four o'clock

ALLE CINQUE
at five o'clock

ALLE SEI
at six o'clock

ALLE SETTE
at seven o'clock

ALLE OTTO
at eight o'clock

ALLE NOVE
at nine o'clock

ALLE DIECI
at ten o'clock

ALLE UNDICI
at eleven o'clock

A MEZZOGIORNO *at noon*
A MEZZANOTTE *at midnight*

Nota: Vado in palestra **dalle** 10.00 **alle** 11.00.
Vado a lezione fino **alle** 16.00.
Sono **in** anticipo / sono puntuale / sono **in** ritardo.
Vado a casa **tra** un'ora.

I go to the gym from ten to eleven.
I have class until four o'clock.
I am early / I am on time / I am late.
I will go home in an hour.

Quando? *When?*

in primavera	*in spring*
in estate	*in summer*
in autunno	*in fall/autumn*
in inverno	*in winter*

nel 2008	*in 2008*

a (in) gennaio, **a (in)** febbraio, **a (in)** marzo, **a (in)** aprile, **a (in)** maggio, **a (in)** giugno, **a (in)** luglio, **a (in)** agosto, **a (in)** settembre, **a (in)** ottobre, **a (in)** novembre, **a (in)** dicembre
in January, in February, in March, in April, in May, in June, in July, in August, in September, in October, in November, in December

a colazione	*for/at breakfast*
a pranzo	*for/at lunch*
a cena	*for/at dinner*

prima **di** venire da te vado in banca	*before coming to see you I am going to the bank*
di solito faccio la spesa al mercato	*usually I go grocery shopping at the supermarket*
a volte gioco a basket	*sometimes I play basketball*
a domani	*see you tomorrow*
a dopo/ **a** più tardi	*see you later*
a presto	*see you soon*

V. Uso delle preposizioni con i verbi - *Prepositions with verbs*

THE FOLLOWING VERBS ARE USED **WITHOUT** A PREPOSITION IN ITALIAN

The following verbs **do not require a preposition** in front of a noun or an infinitive:

ascoltare:	Ascolto una canzone.	*I am listening to a song.*
aspettare:	Aspetto il treno.	*I am waiting for the train.*
cercare:	Cerco le chiavi.	*I am looking for my keys.*
guardare:	Guardo la foto.	*I am looking at the photo.*
pagare:	Pago il panino.	*I am paying for the sandwich.*
dovere + verbo all'infinito:	Devo studiare oggi.	*I must study today.*
volere + verbo all'infinito:	Non voglio uscire.	*I don't want to go out.*
potere + verbo all'infinito:	Puoi aprire la porta?	*Can you open the door?*
sapere + verbo all'infinito:	Rita sa sciare bene.	*Rita knows how to ski well.*
preferire + verbo all'infinito:	Preferisci mangiare al ristorante?	*Do you prefer to eat at a restaurant?*
piacere + verbo all'infinito:	Mi piace viaggiare.	*I like to travel.*

THE FOLLOWING VERBS ARE USED **WITH** A PREPOSITION IN ITALIAN

The following verbs **require a preposition** in front of a noun or an infinitive:

Common verbs requiring the preposition "a":

- **andare a** + verbo all'infinito:
  Vado a mangiare.   *I am going to eat.*

- **cominciare a** + verbo all'infinito:
  Comincio a lavorare presto domani.   *I start work early tomorrow.*

- **dire a** + persona:
  Cosa diciamo a Marco?   *What should we tell Marco?*

- **domandare a** + persona:
  Domando a Anna il suo numero di telefono.   *I will ask Anna for her phone number.*

- **giocare a** + sport/gioco:
  Gioco a basket/ gioco a "Monopoli".   *I play basketball/I play "Monopoly".*

- **parlare a** + persona:
  Parlo al mio professore in italiano.   *I speak to my professor in Italian.*

- **rispondere a** + persona:
  Rispondo al mio amico.   *I am answering my friend.*

- **scrivere a** + persona:
  Scrivo a un'amica.   *I am writing to a friend.*

- **telefonare a** + persona:
  Telefono a un amico.   *I am calling a friend.*

Common verbs/expressions requiring the preposition "di":

- **avere bisogno di** + verbo all'infinito
  Ho bisogno di andare in banca.   *I need to go to the bank.*

- **avere voglia di** + verbo all'infinito
  Non ho voglia di uscire.   *I don't feel like going out.*

- **finire di** + verbo all'infinito
  Finisco di studiare e poi esco.   *I'll finish studying and then I'll go out.*

The verb "partire" is used with "da" and "per"

Parto da Firenze per Roma.   *I'm leaving from Florence for Rome.*

VI. Preposizioni + articoli - *Prepositions combined with articles*

When the prepositions **di**, **a**, **da**, **in**, **su** are followed by a definite article, they contract with it to become a single word.

Ho messo il burro **nel** frigorifero. (in + il)
I put the butter in the fridge.

Siamo arrivati **alla** stazione giusto in tempo. (a + la)
We arrived at the station just in time.

	IL	LO	I	GLI	LA	L'	LE
A	al	allo	ai	agli	alla	all'	alle
DA	dal	dallo	dai	dagli	dalla	dall'	dalle
DI	del	dello	dei	degli	della	dell'	delle
IN	nel	nello	nei	negli	nella	nell'	nelle
SU	sul	sullo	sui	sugli	sulla	sull'	sulle

Unità 4

> Passato prossimo:

verbi regolari e irregolari

Passato prossimo - Past tense

The **passato prossimo** (past tense) is used to relate a completed action, fact or event in the past. The **passato prossimo** is often accompanied by the expressions of time listed below.

Ho parlato italiano tutto il giorno.   *I spoke Italian all day.*

Espressioni di tempo per parlare di eventi al passato
Expressions of time used to speak about events in the past

	→ mattina	*yesterday morning*	due/tre/...giorni	←	*two/three days ago*
ieri	→ pomeriggio	*yesterday afternoon*	due/tre/...settimane	←	*two/three weeks ago*
	→ sera	*yesterday evening*	due/tre/...mesi	← **fa**	*two/three months ago*
	→ notte	*last night*	due/tre/...anni	←	*two/three years ago*

la primavera, l'estate, la settimana, domenica	→ **scorsa / passata**
last Spring, last Summer, last week, last Sunday	

l'autunno, l'inverno, l'anno, il mese	
last Fall, last Winter, last year, last month	→ **scorso / passato**
lunedì, martedì, mercoledì, giovedì, venerdì, sabato	→
last Monday, last Tuesday, last Wednesday, last Thursday, last Friday, last Saturday	

Formazione del passato prossimo - *How to form the past tense*

Il **passato prossimo** is a compound tense. It consists of two words: the present tense of an auxiliary verb (**essere** or **avere**) and the past participle (**participio passato**).

present of **essere** or **avere**	+	past participle

PAST PARTICIPLE		
regular verbs in **are**	→	ato
regular verbs in **ere**	→	uto
regular verbs in **ire**	→	ito

PAST PARTICIPLE		
cenare	→	cen**ato**
ricevere	→	ricev**uto**
capire	→	cap**ito**

The following are examples of verbs conjugated with **AVERE**

	ABITARE	**AVERE**	**CAPIRE**
ho hai ha abbiamo avete hanno	abit**ato** (invariable)	av**uto** (invariable)	cap**ito** (invariable)

The past participle is **invariable** when the passato prossimo is contructed with "**avere**".

The following are examples of verbs conjugated with **ESSERE**

	RESTARE	**CAD**ERE	**PART**IRE
sono sei è	rest**ato/a**	cad**uto/a**	part**ito/a**
siamo siete sono	rest**ati/e**	cad**uti/e**	part**iti/e**

The past participle **agrees** in gender and number (-o, -a, -i, -e) with the subject of the verb when we use "**essere**".

Essere or *Avere*?

Avere is used with transitive verbs (which can take a direct object).

Ho comprato il giornale.   *I bought the newspaper.*

Essere is used with intransitive verbs (which cannot take a direct object.) Many of these verbs are verbs of movement.

Sono uscito con Lucia.   *I went out with Lucia.*

Note that these verbs of movement take "avere": viaggiare, nuotare, sciare, camminare.

Here is a list of common verbs that require **ESSERE**. Note that the forms in bold are irregular.

INFINITO		PASSATO PROSSIMO
andare	*to go*	sono andato/a
arrivare	*to arrive*	sono arrivato/a
cadere	*to fall*	sono caduto/a
entrare	*to enter*	sono entrato/a
essere	*to be*	**sono stato/a**
morire	*to die*	**sono morto/a**
nascere	*to be born*	**sono nato/a**
partire	*to leave/to depart*	sono partito/a
restare	*to stay, to remain*	sono restato/a
rimanere	*to remain*	**sono rimasto/a**
ritornare	*to return*	sono ritornato/a
salire	*to get on, to climb*	sono salito/a
scendere	*to get off, to descend*	**sono sceso/a**
stare	*to stay*	sono stato/a
tornare	*to return*	sono tornato/a
uscire	*to go out, to exit*	sono uscito/a
venire	*to come*	**sono venuto/a**

 **Osserva!**

Generally SCENDERE and SALIRE use the auxiliary **essere**:

Sono salito sulla torre.   *I climbed the tower.*
Sono scesa dall'autobus.   *I got off the bus.*

Nonetheless, if followed by a direct object, we say:

Ho salito le scale.   *I climbed the stairs.*
Ho sceso le scale.   *I walked down the stairs.*

When DOVERE, VOLERE, POTERE are followed by the infinitive, they form the passato prossimo with **essere** or **avere** depending on the auxiliary verb we regularly use with the verb in the infinitive form.

Ho dovuto lavorare   (**ho** lavorato) (lavorare takes **avere**)
Sono dovuto uscire   (**sono** uscito) (uscire takes **essere**)

Verbi di uso comune con participio passato irregolare
Common verbs with irregular past participles

Verbs with **avere**

INFINITO		PASSATO PROSSIMO
accendere	*to turn on, to light*	ho **acceso**
aprire	*to open*	ho **aperto**
bere	*to drink*	ho **bevuto**
chiedere	*to ask*	ho **chiesto**
chiudere	*to close*	ho **chiuso**
conoscere	*to know, to meet for the first time*	ho **conosciuto**
decidere	*to decide*	ho **deciso**
dire	*to say, to tell*	ho **detto**
dipingere	*to paint*	ho **dipinto**
fare	*to do, to make*	ho **fatto**
leggere	*to read*	ho **letto**
mettere	*to put*	ho **messo**
perdere	*to lose*	ho **perso** (perduto)
prendere	*to take*	ho **preso**
rispondere	*to answer*	ho **risposto**
scegliere	*to choose*	ho **scelto**
rompere	*to break*	ho **rotto**
scrivere	*to write*	ho **scritto**
spegnere	*to turn of, to extinguish*	ho **spento**
spendere	*to spend*	ho **speso**
vedere	*to see*	ho **visto** (veduto)
vincere	*to win*	ho **vinto**
vivere	*to live*	ho **vissuto**

Verbs with **essere**

INFINITO		PASSATO PROSSIMO
essere	*to be*	sono **stato/a**
morire	*to die*	sono **morto/a**
nascere	*to be born*	sono **nato/a**
scendere	*to get of/ to descend*	sono **sceso/a**
rimanere	*to remain*	sono **rimasto/a**
venire	*to come*	sono **venuto/a**

Lista di verbi di uso comune al presente e al passato prossimo.

The following is a list of common verbs in the presente and in the passato prossimo.
The irregular forms are indicated in bold.
Verbs requiring **essere** at the past tense are written in CAPS.

INFINITO		PRESENTE	PASSATO PROSSIMO
abitare	*to live*	abito	ho abitato
accendere	*to turn on/to light*	accendo	ho **acceso**
andare	*to go*	**vado**	SONO ANDATO/A
aprire	*to open*	apro	ho **aperto**
arrivare	*to arrive*	arrivo	SONO ARRIVATO/A
ascoltare	*to listen*	ascolto	ho ascoltato
aspettare	*to wait (for)*	aspetto	ho aspettato
avere	*to have*	**ho**	ho avuto
bere	*to drink*	**bevo**	ho **bevuto**
capire	*to understand*	**capisco** (-isc)	ho capito
cenare	*to have dinner*	ceno	ho cenato
cercare	*to look for*	cerco	ho cercato
chiedere	*to ask (for)*	chiedo	ho **chiesto**
chiudere	*to close*	chiudo	ho **chiuso**
cominciare	*to start, to begin*	comincio	ho cominciato
comprare	*to buy*	compro	ho comprato
conoscere	*to know*	conosco	ho **conosciuto**
correre	*to run*	corro	ho **corso** (SONO **CORSO/A**)
cucinare	*to cook*	cucino	ho cucinato
dare	*to give*	**do**	ho dato
decidere	*to decide*	decido	ho **deciso**
dimenticare	*to forget*	dimentico	ho dimenticato
dipingere	*to paint*	dipingo	ho **dipinto**
dire	*to say*	**dico**	ho **detto**
disegnare	*to draw*	disegno	ho disegnato
domandare	*to ask, to request*	domando	ho domandato
dormire	*to sleep*	dormo	ho dormito
dovere	*to have to, must*	**devo**	ho dovuto (SONO DOVUTO/A)
entrare	*to enter*	entro	SONO ENTRATO/A
essere	*to be*	**sono**	SONO **STATO/A**
fare	*to do, to make*	**faccio**	ho **fatto**
finire	*to finish*	**finisco** (-isc)	ho finito
frequentare	*to attend*	frequento	ho frequentato
giocare	*to play*	gioco	ho giocato
guardare	*to look (at)*	guardo	ho guardato
imparare	*to learn*	imparo	ho imparato

incontrare	to meet	incontro	ho incontrato
insegnare	to teach	insegno	ho insegnato
invitare	to invite	invito	ho invitato
lavare	to wash	lavo	ho lavato
lavorare	to work	lavoro	ho lavorato
leggere	to read	leggo	ho **letto**
mangiare	to eat	mangio	ho mangiato
mettere	to put	metto	ho **messo**
nuotare	to swim	nuoto	ho nuotato
offrire	to offer	offro	ho **offerto**
ordinare	to order	ordino	ho ordinato
pagare	to pay	pago	ho pagato
parlare	to speak	parlo	ho parlato
partire	to leave, to depart	parto	SONO PARTITO/A
pensare	to think	penso	ho pensato
perdere	to lose	perdo	ho **perso** (perduto)
potere	to be able, may, can	**posso**	ho potuto (SONO POTUTO/A)
pranzare	to have lunch	pranzo	ho pranzato
preferire	to prefer	**preferisco** (-isc)	ho preferito
prendere	to take	prendo	ho **preso**
prenotare	to reserve	prenoto	ho prenotato
restare	to stay	resto	SONO RESTATO/A
rimanere	to remain	**rimango**	SONO **RIMASTO/A**
rispondere	to respond, answer	rispondo	ho **risposto**
ritornare	to come back, return	ritorno	SONO RITORNATO/A
rompere	to break	rompo	ho **rotto**
salire	to climb, to get on	**salgo**	SONO SALITO/A (ho salito)
sapere	to know	**so**	ho saputo
scendere	to get off, to descend	scendo	SONO **SCESO/A** (ho sceso)
scrivere	to write	scrivo	ho **scritto**
spedire	to send	**spedisco** (-isc)	ho spedito
spegnere	to turn off	**spengo**	ho **spento**
spendere	to spend	spendo	ho **speso**
stare	to be (state of being)	**sto**	SONO STATO/A
studiare	to study	studio	ho studiato
suonare	to play, to sound	suono	ho suonato
telefonare	to call (phone)	telefono	ho telefonato
tornare	to come back, to return	torno	SONO TORNATO/A
trovare	to find	trovo	ho trovato
uscire	to exit, to go out (socially)	**esco**	SONO USCITO/A
vedere	to see	vedo	ho **visto** (veduto)
venire	to come	**vengo**	SONO **VENUTO/A**
viaggiare	to travel	viaggio	ho viaggiato

visitare	to visit	visito	ho visitato
vivere	to live	vivo	ho **vissuto**
volere	to want	**voglio**	ho voluto (SONO VOLUTO)

Molto

When MOLTO is used before an adjective means "very". It is **invariable** and its ending never changes.

Il gelato è molt**o** buono.
The ice-cream is very good.

Carla e Simona sono molt**o** alte.
Carla and Simona are very tall.

MOLTO is also **invariable** after a verb.

Leggo molt**o**.
I read a lot.

When MOLTO is used before a noun means "many" or "a lot". It is **variable** and it agrees with the noun it refers to.

Ci sono molt**i** turisti in questa città!
There are many tourists in this city!

Mangio molt**a** cioccolata.
I eat a lot of chocolate.

Unità 5

> Aggettivi e pronomi possessivi

> Verbi riflessivi

Aggettivi possessivi - *Possessive adjectives*

Gli **aggettivi possessivi** (possessive adjectives) precede the noun they modify and they agree with this noun in gender and number.

	with masculine singular nouns	with feminine singular nouns	with masculine plural nouns	with feminine plural nouns
my	**il mio** appartamento	**la mia** casa	**i miei** amici	**le mie** amiche
your	**il tuo** appartamento	**la tua** casa	**i tuoi** amici	**le tue** amiche
her, his, its	**il suo** appartamento	**la sua** casa	**i suoi** amici	**le sue** amiche
our	**il nostro** appartamento	**la nostra** casa	**i nostri** amici	**le nostre** amiche
your	**il vostro** appartamento	**la vostra** casa	**i vostri** amici	**le vostre** amiche
their	**il loro** appartamento	**la loro** casa	**i loro** amici	**le loro** amiche

It is important to note that in Italian there is no distinction between *her* and *his* becuse the possessive agrees with the object in question and <u>not</u> with the person who possesses it.

Note the position of the possessive adjective with the word **casa**. When there is a preposition in front of "casa", the possessive follows "casa".

La mia casa è grande	**but**	Vado **a** casa **mia**
La tua casa è in centro?	**but**	Vengo **a** casa **tua**

Also with "camera" (room): vado/sono **in** camera **mia**.

Osserva!

La famiglia

The possessive adjective is used without the article when it accompanies a singular noun referring to a family member. The form *loro* always retains the article.
Therefore:

mia madre - mio padre *(my mother, my father)*	but >	i miei genitori *(my parents)*
mia sorella - mio fratello *(my sister, my brother)*	but >	le mie sorelle - i miei fratelli *(my sisters, my brothers)*
mia zia - mio zio *(my aunt, my uncle)*	but >	le mie zie - i miei zii *(my aunts, my uncles)*
mia cugina - mio cugino *(my cousin)*	but >	le mie cugine - i miei cugini *(my cousins)*
mia nonna - mio nonno *(my grandmother, my grandfather)*	but >	le mie nonne - i miei nonni *(my grandparents)*
mia nipote - mio nipote *(my nephew, my niece)* *(my granddaughter, my grandson)*	but >	le mie nipoti - i miei nipoti *(my nephews, my nieces)* *(my granddaughters, my grandsons)*
mia figlia - mio figlio *(my daughter - my son)*	but >	i miei figli *(my children)*

The article is retained if a noun expressing a family relationship is modified by a suffix or an adjective.

Il mio fratello maggiore	*My older brother*
La mia sorella minore	*My younger sister*
Il mio fratellino	*My little brother*
La mia sorellina	*My little sister*

Often in Italian when you refer to parents you may say : **i miei, i tuoi,** etc.
With MAMMA, BABBO, PAPÀ you may say: la mia mamma, il mio babbo, il mio papà.

In certain expressions the possessive adjective is placed after the noun and it is used without the article.

Mamma mia!	*Good heavens!*
È colpa mia!	*It's my fault!*
Sono affari miei!	*It's my business!*

Pronomi possessivi - *Possessive pronouns*

Io ho parcheggiato qui la mia macchina. Tu dove hai parcheggiato **la tua**?
I parked my car here. Where did you park yours?

When a possessive is not followed by a noun, it is a **pronoun**. The same forms are used for both possessive adjectives and possessive pronouns.

When a possessive pronoun is used after the verb "essere", the article is usually omitted.

Di chi è questa borsa? È (la) mia.
Whose bag is that? It is mine.

Verbi riflessivi - *Reflexive verbs*

A **verbo riflessivo** (reflexive verb) is one in which the action reverts back to the subject:

Mi lavo.
I wash myself.

Reflexive verbs are conjugated like other verbs. Reflexive verbs are always conjugated with reflexive pronouns. You can recognize reflexive verbs by their endings in –**si**.

lav**arsi** →   -ARE

perd**ersi**→   -ERE

divert**irsi**→   -IRE

Presente

lav**arsi**	perd**ersi**	divert**irsi**
mi lavo	**mi** perdo	**mi** diverto
ti lavi	**ti** perdi	**ti** diverti
si lava	**si** perde	**si** diverte
ci laviamo	**ci** perdiamo	**ci** divertiamo
vi lavate	**vi** perdete	**vi** divertite
si lavano	**si** perdono	**si** divertono

Passato Prossimo

lav**arsi**		perd**ersi**		divert**irsi**	
mi sono		**mi** sono		**mi** sono	
ti sei	lavato/a	**ti** sei	perduto/a	**ti** sei	divertito/a
si è		**si** è		**si** è	
ci siamo		**ci** siamo		**ci** siamo	
vi siete	lavati/e	**vi** siete	perduti/e	**vi** siete	divertiti/e
si sono		**si** sono		**si** sono	

Verbi riflessivi di uso comune - *Common reflexive verbs*

abituarsi	to get used to		pettinarsi	to comb one's hair
accorgersi	to realize		prepararsi	to get ready
addormentarsi	to fall asleep		preoccuparsi	to get worried
alzarsi	to get up		rendersi conto (di)	to realize
annoiarsi	to get bored		ricordarsi	to remember
arrabbiarsi	to get angry		rilassarsi	to relax
asciugarsi	to dry oneself		riposarsi	to rest
bagnarsi	to get wet		sedersi	to sit down
chiamarsi	to be called/named		sentirsi	to feel
dimenticarsi	to forget		spaventarsi	to get scared
divertirsi	to have fun, to enjoy		specializzarsi	to specialize
farsi la barba	to shave		spogliarsi	to get undressed
farsi la doccia	to take a shower		sposarsi (con)	to get married (to)
fermarsi	to stop		stancarsi	to get tired
fidanzarsi (con)	to get engaged (to)		svegliarsi	to wake up
guardarsi	to look at oneself		tagliarsi	to cut oneself
innamorarsi (di)	to fall in love (with)		togliersi	to take off (clothes)
lamentarsi	to complain		trovarsi	to find oneself/to get along
laurearsi	to graduate		truccarsi	to put on make up
lavarsi	to wash oneself		vergognarsi	to be embarassed
mettersi	to put on (clothes)		vestirsi	to get dressed
perdersi	to get lost			

Note that, in Italian, the reflexive form is also used with some verbs to express meanings that are not reflexive.

 **Osserva!**

In the **passato prossimo** all reflexive verbs are conjugated with **essere.** The past participle agrees with the subject of the sentence in gender and number.

Paolo, ti sei divertit**o** alla festa?   *Paolo, did you enjoy yourself at the party?*
Sì, ma Stefania si è annoiat**a**.   *Yes, but Stefania got bored.*

Note the expression:
Mi trovo bene a Firenze.   *I like it in Florence.*

Reflexive verbs with an irregular past participle:

INFINITO	PASSATO PROSSIMO
accorgersi	mi sono **accorto/a**
farsi	mi sono **fatto/a**
mettersi	mi sono **messo/a**
perdersi	mi sono **perso/a** (mi sono perduto/a)
rendersi conto	mi sono **reso/a conto**
togliersi	mi sono **tolto/a**

Verbi reciproci - *Reciprocal verbs*

Most reflexive verbs can be used in the plural (noi, voi, loro) to express reciprocal actions. In this case the plural reflexive pronouns (ci, vi, si) are used.

Laura e Sandro si abbracciano.
Laura and Sandro hug each other.

abbracciarsi	*to hug each other*
aiutarsi	*to help each other*
amarsi	*to love each other*
baciarsi	*to kiss each other*
conoscersi	*to get to know each other*
fidanzarsi	*to get engaged*
guardarsi	*to look at each other*
incontrarsi	*to meet each other*
lasciarsi	*to break up*
mandarsi (una e-mail, un SMS, una lettera, ecc.)	*to send each other (an email, a text message, a letter, etc.)*
mettersi insieme	*to start dating*
odiarsi	*to hate each other*
salutarsi	*to greet each other*
scriversi	*to write to each other*
sentirsi	*to keep in touch/to call each other*
sposarsi	*to get married*
telefonarsi	*to call each other*
trovarsi	*to meet each other*
vedersi	*to see each other*

 **Osserva!**

Reciprocal verbs with an irregular past participle.

INFINITO	PASSATO PROSSIMO
conoscersi	ci siamo **conosciuti/e**
mettersi	ci siamo **messi/e**
scriversi	ci siamo **scritti/e**
vedersi	ci siamo **visti/e** (veduti/e)

Unità 6

> Imperfetto

> Passato prossimo e imperfetto

Imperfetto - *Imperfect*

Verbi regolari

GUARDA**RE**	LEGGE**RE**	CAPI**RE**
guarda**vo**	legge**vo**	capi**vo**
guarda**vi**	legge**vi**	capi**vi**
guarda**va**	legge**va**	capi**va**
guarda**vamo**	legge**vamo**	capi**vamo**
guarda**vate**	legge**vate**	capi**vate**
guarda**vano**	legge**vano**	capi**vano**

Formazione dell'imperfetto - *How to form the imperfetto*

To form the **imperfetto** (Imperfect) you drop the last two letters of the infinitive (**-re**) and add the endings **-vo/-vi/-va/-vamo/-vate/-vano.**

Note that the endings are the same for all conjugations.

Verbi irregolari - *Irregular verbs*

Few verbs are irregular in the imperfetto. Here are the most common:

ESSERE	FARE	BERE	DIRE
ero	facevo	bevevo	dicevo
eri	facevi	bevevi	dicevi
era	faceva	beveva	diceva
eravamo	facevamo	bevevamo	dicevamo
eravate	facevate	bevevate	dicevate
erano	facevano	bevevano	dicevano

Uso dell'imperfetto - *Use of the imperfect*

The **imperfetto** is used:

1. To describe habitual actions in the past:

Il mercoledì sera **andavamo** sempre al cinema.
On Wednesday nights we used to go to the movies.

Quando **ero** piccola **passavo** le vacanze dai miei nonni.
When I was young I used to spend my vacations at my grandparents' house.

2. To describe something in the past:
people, animals, objects, situations, places:

La villa **era** grande, antica e **aveva** un giardino bellissimo.
The villa was big, old and it had a beautiful garden.

Mia madre **era** molto magra da giovane.
My mother was very thin when she was young.

Alla mostra non c'**era** molta gente.
There were not a lot of people at the exhibit.

Non ho comprato quella giacca di pelle perché **costava** troppo.
I didn't buy that leather jacket because it was too expensive.

physical and mental conditions:
Lisa **era** stanca ed è andata a letto presto.
Lisa was tired and she went to bed early.

Da bambino **avevo** paura del buio.
When I was a child I was scared of the dark.

weather conditions:
Faceva freddo e **pioveva.**
It was cold and it was raining.

to tell age and time:
Quando ho finito il Liceo **avevo** 18 anni.
When I graduated from high school I was 18 years old.

Erano le otto quando Vieri mi ha telefonato.
It was eight o'clock when Vieri called me.

Uso del passato prossimo e dell'imperfetto
Use of the passato prossimo and imperfetto

PASSATO PROSSIMO	IMPERFETTO
The *passato prossimo* is a narrative tense and expresses a <u>complete</u> <u>specific action in the past.</u> **Ho studiato** dalle 15.00 alle 17.00. *I studied from 3.00 to 5.00.* Ieri **abbiamo preso** un aperitivo da Zoe. *Yesterday we had an aperitivo at Zoe's.* Un'estate **sono andata** in Australia. *One summer, I went to Australia.* **Mi sono laureata** nel 2007. *I graduated in 2007.* We use the *passato prossimo* to report events that happened <u>one after the other</u> in the past. Mi **sono svegliata,** poi **ho fatto** la doccia, **sono uscita** di casa e **ho preso** l'autobus. *I woke up, I took a shower, I went out and I took the bus.*	The *imperfetto* is a descriptive tense used to report actions in the past that are <u>incomplete, not limited in duration.</u> Mario **era** in biblioteca e lavorava alla tesi. *Mario was in the library working on his thesis.* Spike Lee **era** in Italia e **girava** un film. *Spike Lee was in Italy shooting a film.* The *imperfetto* is used to describe <u>habitual or repeated actions</u> in the past. Il venerdì sera **andavamo** sempre a teatro. *On Friday nights we would go to the theatre.* Da bambina **leggevo** tantissimo. *When I was a little girl, I used to read a lot.* The *imperfetto* is used to express <u>simultaneous actions in progress</u> in the past (what was going on when something else was happening). Mentre io **cucinavo, ascoltavo** un CD e lei **parlava** al telefono. *While I was cooking, she was talking on the phone and listening to a CD.*

 Osserva!

The *imperfetto* is also used to express an ongoing action in the past interrupted by another action (what was going on when something else happened). In this case the second action is expressed in the *passato prossimo*.

Mentre **mangiavamo** è arrivato mio fratello.
While we were eating, my brother arrived.

Il cellulare è suonato mentre **ero** al concerto.
My cell phone rang while I was at a concert.

The most common verbs which indicate the interruption of an action are: incontrare *(to meet),* bussare *(to knock),* suonare (il telefono) *(to ring).*

Note that after **mentre,** you always use the *imperfetto* in the past.

 **Osserva!**

Here are some **expressions of time** that indicate repeated actions and that frequently call for the *imperfetto*:

tutte le volte/ogni volta *(each time)*, **tutti i giorni/ogni giorno** *(every day)*, **tutti gli anni /ogni anno** *(every year)*, **tutte le estati/ogni estate** *(every Summer)*, **sempre** *(always)*, **spesso** *(often)*, **di solito** *(usually)*, **qualche volta** *(sometimes)*, **raramente** *(rarely)*, **non ... mai** *(never)*, **da bambino/a** *(when I was a child)*, **da piccolo/a** *(when I was little)*, **da giovane** *(as a youngman, as a young woman)*.

 **Osserva!**

SAPERE and CONOSCERE

These two words take on two different meanings when they are used in the *passato prossimo* or in *the imperfetto*.

SAPERE

When *sapere* is used in the *passato prossimo*, it means to learn about something, to hear about something, to find out.

Ho saputo che vai in Brasile per un mese.
I found out that you are going to Brazil for a month.

When *sapere* is used in the *imperfetto,* it means to know.

Non **sapevamo** che era sposata.
We didn't know that she was married.

CONOSCERE

When *conoscere* is used in the *passato prossimo*, it means to meet someone for the first time.

Ieri **ho conosciuto** i genitori del mio ragazzo.
Yesterday I met my boyfriend's parents.

When *conoscere* is used in the *imperfetto,* it means to know, to be familiar with someone or something.

Conoscevo Maria da molto tempo.
I knew Maria for a long time.

Conoscevamo Madrid molto bene.
We knew Madrid very well.

VOLERE, DOVERE, POTERE

When used in the *imperfetto* they often express an intention or an action that wasn't carried out or may not been carried out.

Volevamo andare a Roma questo fine settimana <u>ma</u> invece siamo rimasti a Firenze.
We wanted to go to Rome this weekend <u>but</u> instead we remained in Florence.

Potevamo studiare in Francia <u>ma</u> abbiamo preferito venire in Italia.
We could have studied in France <u>but</u> we preferred to come to Italy.

Dovevo andare dal dentista <u>ma</u> non ci sono andata.
I was supposed to go to the dentist <u>but</u> I didn't go.

The *passato prossimo* in contrast, clearly indicates that the action was carried out.

La bambina non ha voluto mangiare la minestra perché non le piace.
The girl didn't want to eat the soup because she doesn't like it.

Non ho potuto lavorare al computer perché c'erano problemi con internet.
I couldn't work with the computer because there were problems with the Internet.

Ho dovuto studiare fino a tardi perché domani ho un esame.
I had to study until late because tomorrow I have an exam.

Unità 7

> Pronomi diretti

> Pronomi indiretti

> Verbo piacere

> Futuro

Pronomi diretti - *Direct object pronouns*

When in a sentence there is an object (either a thing or a person) and we don't want to repeat it, we replace the direct object noun with a direct object pronoun (**pronome diretto**).

A direct object answers the question *chi* (who) or *che cosa* (what).

A direct object is never preceded by a preposition.

A direct object pronoun always precedes a conjugated verb.

Inviti **Marco**?
Will you invite Marco?

Sì, **lo** invito.
Yes, I'll invite him.

(lo=Marco)

Guardi **la TV** in Italia?
Do you watch TV in Italy?

No, non **la** guardo.
No, I don't watch it.

(la= la TV)

Vedi **i tuoi amici** stasera?
Will you see your friends tonight?

Sì, **li** vedo più tardi.
Yes, I will see them later.

(li= i tuoi amici)

Conosci **Anna e Roberta**?
Do you know Anna and Roberta?

Sì, **le** conosco.
Yes, I know them.

(le= Anna e Roberta)

Mi chiami più tardi?
Will you call me later?

Sì, **ti** chiamo.
Yes, I will call you.

(mi= me)
(ti= te)

Signora Tani, **La** ringrazio molto.
Mrs. Tani, I thank you very much.

(La= la signora Tani)

Ci accompagni?
Will you accompany us?

Sì, **vi** accompagno.
Yes, I will accompany you.

(ci = noi)
(vi = voi)

PRONOMI DIRETTI
mi *(me)*
ti *(you)*
lo *(him, it)*
la *(her, it)*
La *(you formal, masculine and feminine)*
ci *(us)*
vi *(you)*
li *(them masculine)*
le *(them feminine)*

l' = lo – la in front of a *vowel* or an *h*

Here is a list of some common verbs that require the direct object pronoun:

accompagnare	to accompany/to bring or take a person
accompagnare	to accompany/to bring or take a person
aiutare	to help
ascoltare	to listen to
aspettare	to wait for
chiamare	to call
conoscere	to know a person or a place, to meet someone for the first time
fermare	to stop someone or something
incontrare	to meet
invitare	to invite
guardare	to watch, to look at
riconoscere	to recognize
ringraziare	to thank
salutare	to greet
vedere	to see

When the verb is in the **passato prossimo**, the past participle of the verb **agrees** with the direct object pronoun in gender and number with the forms *lo, la, La, li, le*.
With *mi, ti, ci, vi*, the agreement is optional.

Hai invitato **Marco**?	Sì, **l'**ho invitat**o**.
Did you invite Marco?	*Yes, I invited him.*
Hai guardato **la TV**?	No, non **l'**ho guardat**a**.
Did you watch TV?	*No, I didn't watch it.*
Hai visto **i tuoi amici** ieri sera?	Sì, **li** ho vist**i**.
Did you see your friends last night?	*Yes, I saw them.*
Hai conosciuto **Anna e Roberta**?	Sì, **le** ho conosciut**e**.
Did you meet Anna and Roberta?	*Yes, I met them.*

 **Osserva!**

Notice the position of the direct object pronoun when used with an infinitive preceded by a form of *potere, dovere, volere* and *sapere*. The pronoun can be placed either in front of the two verb forms or attached to the infinitive after dropping the final vowel.

Dove metto questi libri?	**Li** puoi mettere sul mio tavolo.
Where can I put these books?	Puoi metter**li** sul mio tavolo.
	You can put them on my table.
Quando devo prenotare il volo?	**Lo** devi prenotare il prima possibile.
When should I reserve my flight?	Devi prenotar**lo** il prima possibile.
	You should reserve it as soon as possible.
Quando fai la torta?	**La** voglio fare ora. Voglio far**la** ora.
When will you make the cake?	*I want to make it now.*
Sai fare il pesto?	Sì, **lo** so fare. Sì, so far**lo.**
Do you know how to make pesto?	*Yes, I know how to make it.*

Pronomi indiretti - *Indirect object pronouns*

An indirect object is <u>always a person</u> and it is generally preceded by the preposition **a**.
A **pronome indiretto** (indirect object pronoun) replaces an indirect object noun.

Telefoni **a Marco**? *Are you calling Marco?*	Sì, **gli** telefono. *Yes, I am calling him.*	(gli = a Marco)
Domando una cosa **alla mia amica**. *I am asking my friend something.*	**Le** domando una cosa. *I am asking her something.*	(le = alla mia amica)
Parlo **ai miei amici**. *I am speaking to my friends.*	**Gli** parlo. *I am speaking to them.*	(gli = ai miei amici)
Mi scrivi presto? *Will you write to me soon?*	Sì, **ti** scrivo presto. *Yes, I will write to you soon.*	(mi = a me) (ti = a te)
Signora Neri, **Le** rispondo subito. *Mrs. Neri, I'll respond to you right away.*		(Le = alla signora Neri)
Ci offri un caffè? *Would you offer us a coffee?*		(ci = a noi)
Vi spedisco un'email. *I'll send you an email.*		(vi = a voi)

PRONOMI INDIRETTI
mi (*to/for me*)
ti (*to/for you*)
gli (*to/for him*)
le *(to/for her)*
Le (*to/for you*) (*formal m./f.*)
ci (*to/for us*)
vi (*to/for you*)
gli (*to/for them*)

 **Osserva!**

Indirect object pronouns have the same position in a sentence as direct object pronouns: they always precede a conjugated verb.

Common verbs that require the use of the indirect object pronouns:

verbs of comunication:		verbs of giving and offering:		other verbs:	
chiedere	*to ask something*	comprare	*to buy*	cucinare	*to cook*
dire	*to say*	dare	*to give*	fare vedere	*to show*
domandare	*to ask something*	offrire	*to offer*	interessare	*to interest*
insegnare	*to teach*	portare	*to take/to bring*	mancare	*to miss*
mandare	*to send*	prestare	*to lend/to borrow*	mostrare	*to show*
parlare	*to speak*	regalare	*to give as a gift*	piacere	*to like*
rispondere	*to answer*	restituire	*to return/to give back*	preparare	*to prepare*
scrivere	*to write*			sembrare	*to seem*
spedire	*to send*			succedere	*to happen*
telefonare	*to telephone*				

Note that when you use the *passato prossimo* with an indirect object pronoun the past participle of the verb **never agrees** with the indirect object pronoun.

Hai scritto **a Marco**?
Did you write to Marco?

Sì, gli ho scrit**to** ieri.
Yes, I wrote to him yesterday.

Hai parlato **ai tuoi amici**?
Did you speak to your friends?

Sì, gli ho parla**to** pochi giorni fa.
Yes, I spoke to them a few days ago.

 Osserva!

Notice the position of the indirect object pronoun when used with an infinitive preceded by a form of *potere, dovere, volere, sapere*. The pronoun can be placed either in front of the two verb forms or attached to the infinitive after dropping the final vowel.

Devi scrivere a tuo padre?	Sì, devo scriver**gli**. Sì, **gli** devo scrivere.

CI and NE

CI	NE
Quanti giorni sei rimasto a Barcellona? **Ci** sono rimasto una settimana. *How many days did you stay in Barcellona? I stayed (**there**) for three days.* Vai negli Stati Uniti? Sì, **ci** vado tra una settimana. *Are you going to the United States? Yes, I am going (**there**) in a week.* Quando vai a comprare il regalo? **Ci** vado domani. *When are you going to buy the present? I am going (**there/to buy it**) tomorrow.*	Quante sorelle hai? **Ne** ho due. *How many sisters do you have? I have two (**of them**).* Quanti caffè bevi al giorno? **Ne** bevo molti. *How many coffees do you drink a day? I drink many (**of them**).* Hai amici italiani ? Sì, **ne** ho (<u>alcuni</u>). *Do you have Italian friends? Yes, I have (**a few of them**).*

CI is commonly used to refer back to a place already mentioned in a sentence and that we don't want to repeat.

NE means *of them, of it* and replaces nouns accompanied by a number or an expression of quantity such as **quanto, molto, troppo, poco, alcuni**. "Ne" also substitutes quantities such as: **etto** *(100 grams)* **litro** *(liter)*, **chilo** *(kilogram)*.
The expression of quantity (**molto, troppo**, etc.) usually remains.

When the verb used in conjunction with NE is a **passato prossimo**, the past participle **agrees** in gender and number with the word replaced by "ne".

Perché sei così nervoso? Quanti **caffè** hai bevuto? **Ne** ho bevu**ti** quattro.
*Why are you so nervous? How many coffees did you drink? I drank four (**of them**).*

Osserva!

When in a sentence there is a form of *dovere, potere, volere* or *sapere* followed by an infinitive, **CI** and **NE** can be placed either in front of the two verbs or attached to the infinitive, after dropping the final vowel.

> Vai dal dentista? Sì, **ci** devo andare domani./ Devo andar**ci** domani.
> *Are you going to the dentist? Yes, I must go **(there)** tomorrow.*
>
> Quante persone vuoi invitare? **Ne** voglio invitare una trentina./ Voglio invitar**ne** una trentina.
> *How many people do you want to invite? I want to invite about thirty **(people)**.*
>
> In the above sentences, the bold words in parenthesis are words that are typically implied in English, but not always said out loud. However, their counterparts in Italian (also in bold) are always spoken and written.

Verbo Piacere - *Verb To like*

The verb **piacere** (to like) has a particular construction in Italian similar to the English phrase *to be pleasing to*. The English subject corresponds to the indirect object in an Italian sentence:

Mi piace la pizza.
I like pizza (pizza is pleasing to me).

The verb *piacere* is mostly used in the third person singular or plural as in the examples and in the chart below. Notice that the subject of the sentence is generally placed after the verb.

Piacere requires the indirect object pronoun. When *piacere* is used with the name of a person or a noun they must be preceded by the preposition "**a**".

A Monica piace ascoltare la musica.	*Monica likes to listen to music.*
Ai miei amici piace l'Italia.	*My friends like Italy.*

When followed by a verb in the infinitive, **piacere** is used in the third person singular.

If the subject is singular, **piacere** is used in the third person singular.

If the subject is plural, **piacere** is used in the third person plural.

Presente: **Mi piace** viaggiare.	*I like to travel.*
Mi piace Venezia.	*I like Venice.*
Mi piacciono i miei amici.	*I like my friends.*

(non)	mi	(a me) *to me*	PIACE	+ verb in the infinitive
	ti	(a te) *to you*		
	gli	(a lui) *to him*		+ singular noun
	le	(a lei) *to her*		
	Le	(a Lei formale) *to you,* formal	PIACCIONO	+ plural noun
	ci	(a noi) *to us*		
	vi	(a voi) *to you*		
	gli	(a loro) *to them*		

Passato prossimo: **Mi è piaciuto** viaggiare.   *I liked to travel.*
                     Mi è piaciuta Venezia.   *I liked Venice.*
                     Mi è piaciuto Palazzo Pitti.   *I liked Palazzo Pitti.*
                     Mi sono piaciuti i corsi.   *I liked my courses.*
                     Mi sono piaciute le città che ho visitato. *I liked the cities I visited.*

(non)	mi (a me) *to me* ti (a te) *to you* gli (a lui) *to him* le (a lei) *to her* Le (a Lei formale) *to you, formal* ci (a noi) *to us* vi (a voi) *to you* gli (a loro) *to them*	È PIACIUT**O**	+ verb in the infinitive + singular noun (masculine)
		È PIACIUT**A**	+ singular noun (feminine)
		SONO PIACIUT**I**	+ plural noun (masculine)
		SONO PIACIUT**E**	+ plural noun (feminine)

Note that in the *passato prossimo* the verb *piacere* takes the auxiliary verb **essere** and that the past participle **agrees** with the subject of the sentence (what you liked) which in Italian comes after the verb *piacere*.

Imperfetto: **Mi piaceva** viaggiare.   *I used to like to travel.*
                  Mi piaceva la mia città.   *I used to like my city.*
                  Mi piacevano i cartoni animati. *I used to like cartoons.*

(non)	mi (a me) *to me* ti (a te) *to you* gli (a lui) *to him* le (a lei) *to her* Le (a Lei formale) *to you, formal* ci (a noi) *to us* vi (a voi) *to you* gli (a loro) *to them*	PIACEVA	+ verb in the infinitive + singular noun
		PIACEVANO	+ plural noun

Futuro semplice - *Future tense*

In Italian il **futuro semplice** (future tense) is formed by adding the appropriate endings to the infinitive after dropping the final vowel "**e**". Verbs of the first conjugation change the "**a**" of the infinitive to "**e**".

Regular verbs:

ASPETTARE	SCRIVERE	FINIRE
aspetter**ò**	scriver**ò**	finir**ò**
aspetter**ai**	scriver**ai**	finir**ai**
aspetter**à**	scriver**à**	finir**à**
aspetter**emo**	scriver**emo**	finir**emo**
aspetter**ete**	scriver**ete**	finir**ete**
aspetter**anno**	scriver**anno**	finir**anno**

Irregular verbs:

essere	→	sarò, sarai, sarà, saremo, sarete, saranno

Verbs that maintain the vowel "a" of the infinitive:

dare → darò...	fare → farò...	stare → starò...

Verbs that drop the vowel "e" or "a" of the infinitive:

andare	→	andrò, andrai, andrà, andremo, andrete, andranno

avere → avrò...	sapere → saprò...
dovere → dovrò...	vedere → vedrò...
potere → potrò...	vivere → vivrò...

Verbs with "rr":

bere	→	berrò, berrai, berrà, berremo, berrete, berranno

rimanere → rimarrò...	tenere → terrò...
venire → verrò...	volere → vorrò...

Verbs ending in –care/-gare add an "h" after "c" or "g":

| giocare → | giocherò, giocherai, giocherà, giocheremo, giocherete, giocheranno |

| pagare → | pagherò, pagherai, pagherà, pagheremo, pagherete, pagheranno |

Verbs ending in –ciare/-giare drop the vowel "i" after "c" or "g":

| cominciare → | comincerò, comincerai, comincerà, cominceremo, comincerete, cominceranno |

| mangiare → | mangerò, mangerai, mangerà, mangeremo, mangerete, mangeranno |

In Italian we usually use the <u>present indicative</u> to express a future action (especially for actions that are fairly certain to occur, often accompanied by an expression of future time).

Venerdì prossimo Marco parte per Amsterdam.
Next Friday Marco leaves/is leaving for Amsterdam.

Domani sera andiamo a teatro.
Tomorrow evening we are going to the theatre.

The *futuro* is used in Italian to make suppositions or express probability:

Luisa non è venuta a scuola, dove sarà?
Luisa didn't come to school, where could she be?

Sarà a casa malata.
She is probably sick at home/She must be home sick.

Tommaso avrà quaranta anni.
Tommaso must be forty years old.

The *futuro* is used in Italian to make promises and to express a precise intention or a desire:

Ti amerò per sempre e non ti dimenticherò mai.
I will love you forever and I will never forget you.

Glossario

1. L'Italia: regioni e città *Italy: regions and cities*
2. L'Europa: nazioni e capitali *Europe: nations and capitals*
3. Il bar, la tabaccheria, il ristorante *The café, the tobacco store, the restaurant*
4. La scuola *The school*
5. La settimana, le stagioni, i mesi *The week, the seasons, the months*
6. Fare la spesa *To go grocery shopping*
7. La casa *The house*
8. Lo sport *Sports*
9. La città *The city*
10. I mezzi di trasporto *Means of transportation*
11. Il tempo *The weather*
12. La famiglia *The family*
13. Fare spese *To go shopping*
14. Le parti del corpo *Parts of the body*
15. Aggettivi *Adjectives*
16. I colori *Colors*
17. Gli animali *Animals*

1. L'Italia: regioni e città

Italy is surrounded by the *Mar Ligure*, *Mar Tirreno*, *Mar Ionio* and the *Mare Adriatico*. In Italy there are 20 regions and two indipendent states: *Città del Vaticano* and the small *Republic of San Marino*. The main city of each region is called the *capoluogo*.

Here are the names of all the italian regions and their *capoluoghi*.

REGIONE	CAPOLUOGO	REGIONE	CAPOLUOGO
Valle d'Aosta	Aosta	Umbria	Perugia
Piemonte	Torino	Marche	Ancona
Lombardia	Milano	Abruzzo	L'Aquila
Trentino Alto Adige	Trento	Molise	Campobasso
Liguria	Genova	Campania	Napoli
Emilia Romagna	Bologna	Basilicata	Potenza
Friuli Venezia Giulia	Trieste	Puglia	Bari
Veneto	Venezia	Calabria	Catanzaro
Toscana	Firenze	Sardegna	Cagliari
Lazio	Roma	Sicilia	Palermo

2. L'Europa: nazioni e capitali

One Nation is missing from this map. Which is it?

_____

3. Il bar, la tabaccheria, il ristorante

AL BAR
beer (in a can-on tap) - **birra (in lattina - alla spina)**
bottle of water (natural-carbonated) - **bottiglia di acqua (naturale - frizzante)**
can of coke, sprite, etc - **lattina di coca, sprite, ecc**
cappuccino - **cappuccino**
candies - **caramelle**
chocolate bar - **tavoletta di cioccolata**
coffee (with a dash of milk - strong - weak) - **caffè (macchiato - lungo - ristretto)**
coffee with milk - **caffelatte**
croissant - **cornetto**
cookie - **biscotto**
fresh squizeed juice - **spremuta**
fruit juice - **succo di frutta**
glass of wine - **bicchiere di vino**
hot chocolate in a cup - **cioccolata in tazza**
ice - **ghiaccio**
ice cream - **gelato**
orange juice - **succo d'arancia**
pastry - **pasta**
sandwich - **panino**
sandwich (with american bread) - **tramezzino**
sugar - **zucchero**
sweetener - **dolcificante**
tea - **tè**

Frasi utili:

To order: Vorrei… / Posso avere …? / Mi dà …?
May I have…? / I would like…? / Can you give me…?

To pay: Quant'è?
How much is it?

IN TABACCHERIA
cellular phone card to recharge credit - **ricarica telefonica**
envelope - **busta**
bus ticket (one ride - multiple rides) - **biglietto dell'autobus (da una corsa - multiplo)**
international telephone card - **carta telefonica internazionale**
lighter - **accendino**
matches - **fiammiferi**
pack of cigarettes - **pacchetto di sigarette**
pen - **penna**
pencil - **matita**
stamp - **francobollo**

AL RISTORANTE

bill - **conto**	napkin - **tovagliolo**
bottle - **bottiglia**	oil and vinegar - **olio e aceto**
bread - **pane**	plate - **piatto**
dessert - **dessert**	salt and pepper - **sale e pepe**
first dish - **primo**	second dish - **secondo**
fork - **forchetta**	side dish - **contorno**
fruit - **frutta**	spoon - **cucchiaio**
glass - **bicchiere**	teaspoon - **cucchiaino**
hors d'oeuvre - **antipasto**	water (natural - carbonated) - **acqua (naturale - frizzante)**
knife - **coltello**	waiter/waitress - **cameriere/cameriera**
menu - **menu**	wine (red - white) - **vino (rosso - bianco)**

Frasi utili:
- Vorrei prenotare/Ho prenotato un tavolo (per… persone).
  I would like to reserve/ I reserved a table (for… people).
- Per favore, mi porta… (un po' di pane, un coltello, una forchetta, ecc)?
  Could you please bring me… (some bread, a knife, a fork, etc)?
- Vorrei… lo prendo… Avete…? C'è…?
  I would like… I'll have… Do you have...? Is there…?
- Come antipasto/primo/ secondo/ contorno/ dolce prendo...
  As a hors d'oeuvre/ first dish/ second dish/ dessert, I'll have…
- C'è la carne dentro?
  Is there meat in this dish?
- Sono vegetariano/a.
  I am a vegetarian.
- Per favore, mi può portare un altro...?
  Could you please bring me another…?
- Com'è?/ Come sono?
  How is it?/ How are they?
- Il conto, per favore.
  The bill, please.
- Posso pagare con la carta di credito?
  May I pay with a credit card? Do you accept credit cards?

4. La scuola

book - **libro**	notes - **appunti**
blackboard - **lavagna**	paper - **carta**
classroom - **classe**	pen - **penna**
computer - **computer**	pencil - **matita**
exam - **esame**	printer - **stampante**
exercise - **esercizio**	professor - **professore/professoressa**
flash cards - **schede da schedario**	quiz - **quiz**
grade - **voto**	sheet - **foglio**
homework - **compiti per casa**	student - **studente/studentessa**
lesson (class) - **lezione**	backpack - **zaino**
notebook - **quaderno**	trash can - **cestino**

Frasi utili:

- Posso fare una domanda?
  Can I ask a question?
- Scusa, non ho capito.
  Sorry, I didn't understand.
- Puoi ripetere per favore?
  Can you repeat, please?
- Puoi parlare più lentamente, per favore?
  Can you speak more slowly, please?
- Puoi scrivere questa parola alla lavagna?
  Can you write this word on the blackboard?
- Come si scrive …?
  How do you spell it …?

- Come si dice …?
  How do you say…?
- Cosa significa …?
  What does ... mean?
- Lo so/ Non lo so.
  I know it/ I don't know it
- Scusa, sono in ritardo.
  Sorry, I am late.
- Posso andare via prima oggi?
  Can I leave early today?

5. La settimana, le stagioni, i mesi

LA SETTIMANA

lunedì, martedì, mercoledì, giovedì, venerdì, sabato, domenica.
Monday, Tuesday, Wednesday, Thursday, Friday, Saturday, Sunday.

| la scorsa settimana (la settimana scorsa/passata) *last week* | ← | questa settimana *this week* | → | la prossima settimana (la settimana prossima) *next week* |

IL FINE SETTIMANA

sabato, domenica. *Saturday, Sunday.*

| lo scorso fine settimana (il fine settimana scorso/passato) *last weekend* | ← | questo fine settimana *this weekend* | → | il prossimo fine settimana (il fine settimana prossimo) *next weekend* |

Frasi utili:

- "Buon fine settimana!" *Have a nice weekend!*
- "Anche a te!"   *You too!*

▲ "Buon divertimento!" *Have fun!*

LE PARTI DEL GIORNO

la mattina/ il pomeriggio/ la sera/ la notte
morning/ afternoon/ evening/ night

In Italian, the definite article must be used before the days of the week to indicate an habitual activity. Compare the following:
Sabato vado al cinema con Rita.   *Next Saturday I am going to the movies with Rita.*
Il sabato vado al cinema con Rita.   *I go to the movies with Rita on Saturdays.*

Therefore, when you indicate a repeated or routine action:
il lunedì, **il** martedì, **il** mercoledì, **il** giovedì, **il** venerdì, **il** sabato, **la** domenica = **ogni** lunedì, **ogni** martedì,…
ogni domenica = **tutti i** lunedì, **tutti i** martedì... **tutte le** domeniche (*Every Monday, Tuesday, etc…*)

Frasi utili:
▲"Buona giornata!"   *Have a nice day!*
• "Anche a te!"   *You too!*

• "Buongiorno" (prima di pranzo)   *Good morning* (before lunch)
• "Buona sera" (dopo pranzo)   *Good afternoon* (after lunch)
• "Buonanotte" (prima di andare a dormire)   *Good night* (before going to bed)

LE STAGIONI

La primavera, l'estate, l'autunno, l'inverno.
Spring, Summer, Fall, Winter.

In primavera, **in** estate, **in** autunno, **in** inverno.
In the Spring, in the Summer, in the Fall, in the Winter.

I MESI

gennaio, febbraio, marzo, aprile, maggio, giugno, luglio, agosto, settembre, ottobre, novembre, dicembre.
January, February, March, April, May, June, July, August, September, October, November, December.
a/in gennaio, **a/in** febbraio …   *In January, in February…*

Frasi utili:
Sono nato/a **il** 12 settembre 1985.   *I was born on September 12, 1985.*

6. Fare la spesa

LA FRUTTA

almond - **mandorla**	hazelnut - **nocciola**
apple - **mela**	kiwi - **kiwi**
apricot - **albicocca**	lemon - **limone**
avocado - **avocado**	manderin - **mandarino**
banana - **banana**	orange - **arancia**
blackberry - **mora**	peach - **pesca**
bluberry - **mirtillo**	peanut - **nocciolina**
cantaloupe - **melone**	pear - **pera**
cherry - **ciliegia**	pineapple - **ananas**
chestnut - **castagna**	plum - **prugna**
coconut - **cocco**	rasberry - **lampone**
fig - **fico**	strawberry - **fragola**
grape - **uva**	walnut - **noce**
grapefruit - **pompelmo**	watermelon - **anguria (cocomero)**

LA VERDURA

arugula - **rucola**	lattuce - **lattuga**
artichoke -**carciofo**	mushroom - **fungo**
asparagus -**asparagi**	onion - **cipolla**
basil -**basilico**	peas - **piselli**
beans - **fagioli**	potato - **patata**
carrot - **carota**	pumpkin - **zucca**
cauliflower - **cavolfiore**	rosemary - **rosmarino**
brussel sprouts - **cavoletti di bruxells**	salad - **insalata**
celery - **sedano**	parsley - **prezzemolo**
chickpeas/garbanzo beans - **ceci**	pepper - **peperone**
cabbage - **cavolo**	sage - **salvia**
cucumber - **cetriolo**	spinach - **spinaci**
eggplant - **melanzana**	zucchini - **zucchino**
garlic - **aglio**	string-beans - **fagiolini**
fava bean - **fave**	tomato - **pomodoro**

LA CARNE

beef - **manzo**
chicken - **pollo**
duck - **anatra**
lamb - **agnello**
pork - **maiale**
rabbit - **coniglio**
turkey - **tacchino**
veal - **vitello**

chicken breast - **petto di pollo**
roast beef - **arrosto**
spareribs - **rosticciana**
steak - **bistecca**
turkey breast - **petto di tacchino**

I FORMAGGI E I LATTICINI

blue cheese - **gorgonzola**
brie - **brie**
goat cheese - **caprino**
mozzarella - **mozzarella (fior di latte / di bufala)**
parmesan cheese - **parmigiano**
ricotta - **ricotta**
sheep cheese - **pecorino**
light soft cheese - **stracchino**
swiss cheese - **emmenthal/ groviera**

butter - **burro**
cream - **panna**
milk - **latte**
yogurt - **yogurt**

LA SALUMERIA

bacon - **pancetta**
bologna - **mortadella**
ham/ cured ham - **prosciutto cotto/crudo**
cured beef - **bresaola**
salami - **salame**
sausage - **salsiccia**
smoked ham - **speck**

ALTRI GENERI ALIMENTARI

biscotti (cookies) - **biscotti (singolare: biscotto)**
bread - **pane**
cocoa - **cacao**
chocolate- **cioccolato**
coffee - **caffè**
egg - **uovo (plurale: uova)**
flour - **farina**
jelly/jam - **marmellata**
olive oil - **olio di oliva**
pasta - **pasta**
peeled tomatoes - **pomodori pelati**
pepper - **pepe**
rice - **riso**
salt - **sale**
vegetable oil - **olio di semi**
sugar - **zucchero**
tuna fish - **tonno**
vinegar - **aceto**
water - **acqua**
wine - **vino**

GENERI NON ALIMENTARI

band-aid - **cerotto**
body wash - **bagnoschiuma**
brush - **spazzola**
comb - **pettine**
conditioner - **balsamo**
deodorant - **deodorante**
dish soap - **detersivo per piatti**
hair removal cream - **crema depilatoria**
laundry detergent - **detersivo per lavatrice**
lotion - **crema idratante**
napkins - **tovaglioli di carta**
perfume - **profumo**

razor - **rasoio**
shampoo - **shampoo**
shaving cream - **schiuma da barba**
soap - **sapone**
tissues - **fazzoletti di carta**
toilet paper - **carta igienica**
toothbrush - **spazzolino**
toothpaste - **dentifricio**

Frasi utili:

• Vorrei…/ Mi dà…?	*I would like…/ Can I have…?*
• Un chilo, un etto, un litro di…	*A kilogram (about 2 pounds), 100 grams, a liter of…*
• Una bottiglia di…	*A bottle of…*
• Un pezzo di…	*A piece of…*
• Una fetta di…	*A slice of…*
• Un sacchetto/Una busta.	*A plastic bag.*
• Quanto costa?	*How much is this?*
• Quant'è?	*How much is it? (When you pay)*
• A chi tocca?	*Who is next/ Whose turn is it?*
• Tocca a me.	*It is my turn.*

7. La casa

apartment - **appartamento**
balcony - **balcone**
bathroom - **bagno**
bedroom - **camera (da letto)**
building - **palazzo**
ceiling - **soffitto**
corridor - **corridio**
door - **porta**
elevator - **ascensore**
entrance - **ingresso**
floor - **pavimento/ piano**
garage - **garage**
garden - **giardino**

kitchen - **cucina**
living room - **salotto/soggiorno**
dining room - **sala da pranzo**
main door/front gate - **portone**
roof - **tetto**
room - **stanza**
stairs - **scale**
studio- **studio**
terrace - **terrazza**
villa - **villa**
wall - **parete**
window - **finestra**

IN SALOTTO IN THE LIVING ROOM	IN CAMERA IN THE BEDROOM
armchair - **poltrona** bookshelf - **libreria** chair - **sedia** couch - **divano** lamp - **lampada** pictures/paintings - **quadri** rug - **tappeto** stereo - **stereo** table - **tavolo** TV - **TV**	alarm clock - **sveglia** bed - **letto** bedside table - **comodino** blanket - **coperta** comforter/duvet cover - **piumone** pillow - **cuscino** sheet - **lenzuolo** desk - **scrivania** wardrobe/ closet - **armadio** walking closet - **armadio a muro**
IN CUCINA IN THE KITCHEN	IN BAGNO IN THE BATHROOM
chairs - **sedie** dishwasher - **lavastoviglie** faucet - **rubinetto** microwave - **forno a microonde** oven - **forno** pantry - **dispensa** refrigerator - **frigorifero** sink - **lavello/acquaio** stove burners - **fornelli** table - **tavolo**	bidet - **bidè** mirror - **specchio** shower - **doccia** sink - **lavandino** bathtub - **vasca** washing machine - **lavatrice** clothesdryer - **asciugabiancheria** toilet - **wc** toilet paper - **carta igienica** towel - **asciugamano**

Frasi utili

Abito al primo, al secondo, al terzo… piano.   *I live on the first, second, third… floor.*
Nel mio appartamento ci sono sei stanze.   *There are six rooms in my apartment.*

8. Lo sport

ballet, dance - **danza** basketball - **basket/pallacanestro** bicycle - **bicicletta** cycling - **ciclismo** football - **football americano** golf - **golf** gym - **palestra** gymnastics - **ginnastica** hockey - **hockey** horse back riding - **equitazione** rowing - **canottaggio**	track and field - **corsa** sailing boat - **barca a vela** skating - **pattinaggio** skiing - **sci** snowboard - **snowboard** soccer - **calcio** surfing - **surf** swimming - **nuoto** windsurfing - **windsurf** tennis - **tennis** volleyball - **pallavolo**

Frasi utili
- **Corro**   *I run*
- **Faccio** sport, faccio nuoto, faccio equitazione, faccio pattinaggio, faccio ginnastica, faccio danza, faccio canottaggio.
  I play a sport. I swim, I go horseback riding, I skate, I do gymnastics, I dance, I row.
- **Gioco a** tennis, calcio, basket.   *I play tennis, I play soccer, I play basketball.*
  Scio.   *I ski.*
- **Vado** in palestra, in piscina.   *I go to the gym, I go to the pool.*
- **Vado** in barca a vela/ **vado** in bicicletta.   *I sail / I bike.*

9. La città

bench - **panchina**	parking lot - **parcheggio**
bridge - **ponte**	pedestrian crossing - **strisce pedonali**
building - **palazzo**	public garden - **giardino pubblico**
bus stop - **fermata dell'autobus**	shop/ store - **negozio**
church - **chiesa**	sidewalk - **marciapiede**
fountain - **fontana**	square - **piazza**
intersection - **incrocio**	statue - **statua**
market - **mercato**	street - **strada**
monument - **monumento**	street - **via (+ name)**
museum - **museo**	traffic light - **semaforo**
newspaper kiosk/ stand - **edicola**	underpass - **sottopassaggio**
park - **parco**	shop window - **vetrina**

Frasi utili
- A destra, a sinistra, diritto.
  To the right, to the left, straight.
- All'incrocio, all'angolo, al semaforo.
  At the intersection, at the corner, at the traffic light.
- Vicino, lontano.
  Near, far.

NEGOZI/UFFICI/LUOGHI PUBBLICI

bakery (bread) - **forno/panificio**	hostel - **ostello**
bakery (pastry) - **pasticceria**	hotel - **albergo/hotel/pension**
bank - **banca**	jewelry shop - **gioielleria**
beauty shop - **profumeria**	library - **biblioteca**
boarding house - **pensione**	mall - **centro commerciale**
bookstore - **libreria**	pharmacy - **farmacia**
butcher - **macelleria**	police headquarters - **questura**
café - **bar**	post office - **ufficio postale**
movie theater - **cinema**	pub - **pub**
city hall - **comune**	restaurant - **ristorante**
clothing store - **negozio di abbigliamento**	school - **scuola**
dairy shop - **latteria**	shoe store - **negozio di calzature**
dance club - **discoteca**	train station - **stazione**
department store - **grande magazzino**	stadium - **stadio**
florist - **fiorista**	stationery shop - **cartoleria**
foodstore (for basics) - **alimentari**	supermarket - **supermercato**
fruit stand/store - **fruttivendolo**	take out (restaurant) - **rosticceria**
gym - **palestra**	theater - **teatro**
hairdresser - **parrucchiere**	tobacco shop - **tabaccheria**
hospital - **ospedale**	travel agency - **agenzia di viaggi**

Frasi utili
- Scusi, dov'è lo stadio? — *Excuse me, where is the stadium?*
- C'è un bancomat qui vicino? — *Is there an ATM near here?*
- A che ora apre?/ A che ora chiude? — *At what time does it open/close?*

10. I mezzi di trasporto

airplane - **aereo**
bicycle - **bicicletta**
cable car - **funivia**
boat - **barca**
bus - **autobus**
car - **macchina**
ferry - **traghetto**
moped - **motorino**

motor boat - **motoscafo**
motorcycle - **motocicletta**
scooter - **scooter**
subway - **metropolitana**
taxi - **taxi**
train - **treno**
tram - **tram**

Frasi utili
• Questo autobus va in via.../piazza...?   *Does this bus go to... street/square?*
• A che ora parte il treno per...?   *At what time does the train for... leave?*
• È in ritardo/ è in orario?   *Is it on time/late?*
• Da quale binario parte il treno per...?   *From which track does the train for ... leave?*
• Vorrei noleggiare una macchina.   *I would like to rent a car.*

11. Il tempo

cloud - **nuvola**	→	it is cloudy - **è nuvoloso**
fog - **nebbia**	→	it is foggy - **c'è nebbia**
rain - **pioggia**	→	it is raining - **piove**
snow - **neve**	→	it is snowing - **nevica**
sun - **sole**	→	it is sunny - **c'è il sole**
wind - **vento**	→	it is windy - **c'è vento**

Frasi utili
• Che tempo fa?   *What's the weather like?*
• Fa caldo/fa freddo.   *It is cold/it is hot.*
• Fa bel tempo/fa brutto tempo.   *The weather in nice/the weather is bad.*
• È una bella giornata/è una brutta giornata. *It's a nice day (good weather)/it's a bad day (bad weather).*

TABELLA DI CONVERSIONE GRADI FAHRENHEIT - GRADI CELSIUS

°F	°C	°F	°C	°F	°C	°F	°C
0	-18	27	-3	54	12	81	27
1	-17	28	-2	55	13	82	28
2	-17	29	-2	56	13	83	28
3	-16	30	-1	57	14	84	29
4	-16	31	-1	58	14	85	29
5	-15	32	0	59	15	86	30
6	-14	33	1	60	16	87	31
7	-14	34	1	61	16	88	31
8	-13	35	2	62	17	89	32
9	-13	36	2	63	17	90	32
10	-12	37	3	64	18	91	33
11	-12	38	3	65	18	92	33
12	-11	39	4	66	19	93	34
13	-11	40	4	67	19	94	34
14	-10	41	5	68	20	95	35
15	-9	42	6	69	21	96	36
16	-9	43	6	70	21	97	36
17	-8	44	7	71	22	98	37
18	-8	45	7	72	22	99	37
19	-7	46	8	73	23	100	38
20	-7	47	8	74	23	101	38
21	-6	48	9	75	24	102	39
22	-6	49	9	76	24	103	39
23	-5	50	10	77	25	104	40
24	-4	51	11	78	26	105	40,5
25	-4	52	11	79	26	106	41
26	-3	53	12	80	27	107	42

12. La famiglia

brother, sister - **fratello, sorella**
brother-in-law/sister-in-law - **cognato, cognata**
cousin - **cugino, cugina**
daughter-in-law/son-in-law - **genero/nuora**
father, mother - **padre, madre**
father-in-law/mother-in-law - **suocero/suocera**
granddaughter, grandson - **nipote, nipote**
grandfather, grandmother - **nonno, nonna**
husband, wife - **marito, moglie**

nephew, niece - **nipote, nipote**
only child - **figlio/a unico/a**
parents - **genitori**
relatives - **parenti**
son, daughter - **figlio, figlia**
stepfather - **secondo marito della madre**
stepmother - **seconda moglie del padre**
twin - **gemello/gemella**
uncle, aunt - **zio, zia**

Frasi utili

• Vado d'accordo con ...	*I get along with …*
• Assomiglio a …	*I look like …*
• La mia sorella maggiore.	*My older sister.*
• Il mio fratello minore.	*My younger brother.*
• La mia sorella gemella.	*My twin sister.*
• Il mio fratello gemello.	*My twin brother.*
• Sono figlio/a unico/a.	*I am an only child.*

13. Fare spese

VESTITI

bathing suit - **costume**	pajamas - **pigiama**
boxer - **boxer**	raincoat - **impermeabile**
coat/ jacket - **giubbotto**	shirt - **camicia**
dress/suit- **vestito**	skirt - **gonna**
jumpsuit - **tuta**	sport jacket - **giacca**
overcoat - **cappotto**	sweater - **maglione**
pair of boots - **un paio di stivali**	sweatshirt - **felpa**
pair of jeans - **un paio di jeans**	top - **top**
pair of pants - **un paio di pantaloni**	t-shirt - **maglietta**
pair of sandals - **un paio di sandali**	underwear - **mutande**
pair of shoes - **un paio di scarpe**	vest - **gilè**
pair of socks - **un paio di calzini**	wrap - **pareo**
pair of stockings - **un paio di calze**	

ACCESSORI

backpack - **zaino**	purse - **borsa**
belt - **cintura**	ring - **anello**
bracelet - **braccialetto**	scarf - **sciarpa**
brooch, pin - **spilla**	silk scarf - **foulard**
earrings - **un paio di orecchini**	suitcase - **valigia**
eyeglasses/ sun glasses - **occhiali da vista/da sole**	tie - **cravatta**
hat- **cappello**	umbrella - **ombrello**
necklace - **collana**	wallet - **portafoglio**
pair of gloves - **un paio di guanti**	wristwatch - **orologio**

Frasi utili

- • Un vestito lungo, corto, scollato, stretto, largo
  A long dress (short, open, tight, large)
- • a righe, a quadri, a pois, a tinta unita
  with stripes, plaid, polka dots, solid

- • di lana, di cotone, di seta, di lino, di velluto
  in wool, in cotton, in silk, in linen, in corduroy

- • Una borsa di pelle, di cuoio, di camoscio, di tela
  a leather bag (hide, suede, fabric)

- • Una collana d'argento, un orologio d'oro, un orologio
  d'acciaio. *A silver necklace, a gold watch, a steel watch*

- • Posso provare/ vorrei provare/ mi fa vedere…
  May I try on/ I would like to try on/ Can you show me
- • Posso dare un'occhiata?
  May I just look?

- • Va bene, lo prendo.
  Ok. I'll take it.

- • Non sono sicuro/a, ci penso un po'.
  I am not sure, I'll think about it.

- • Posso pagare con la carta di credito?
  May I pay with a credit card?

14. Le parti del corpo

arm (arms) - **braccio (pl. braccia)**	hand - **mano**
back - **schiena**	head - **testa**
beard - **barba**	knee (knees) - **ginocchio (pl. ginocchia)**
belly - **pancia**	leg - **gamba**
cheek - **guancia**	lip (lips) - **labbro (pl. labbra)**
chest - **petto**	mouth - **bocca**
chin - **mento**	mustache - **baffi**
ear (ears) - **orecchio (pl. orecchie)**	neck - **collo**
elbow - **gomito**	nose - **naso**
eyes - **occhi**	shoulder - **spalla**
face - **viso/faccia**	stomach - **stomaco**
finger (fingers) - **dito (pl.dita)**	teeth - **denti**
foot - **piede**	throat - **gola**
forehead - **fronte**	tongue - **lingua**
hair - **capelli**	

Frasi utili

- Ha i capelli corti/lunghi.
  He/she has short/long hair.

- Ha i capelli lisci, mossi, ricci.
  He/she has straight/waivy/curly hair.

- Ha i capelli bianchi, grigi, biondi, rossi, castani, neri.
  He/she has white/grey/blond/red/brown/dark hair.

- È calvo.
  He is bold.

- Ha gli occhi azzurri, verdi, marroni.
  He/she has blue/green/brown eyes.

- Ha/porta gli occhiali.
  He/she wears glasses.

- Ha/porta la barba, i baffi.
  He wears a beard / moustaches.

- Ho mal di denti.
  I have a thootache.

- Ho mal di gola.
  I have a sore throat.

- Ho mal di testa.
  I have a headache.

15. Aggettivi

athletic - lazy **atletico - pigro**
beautiful - ugly **bello - brutto**
big - small **grande - piccolo**
blonde - dark **biondo - bruno**
bright - dark **luminoso - buio**
calm - lively **tranquillo - vivace**
calm - nervous **calmo - nervoso**
clean - dirty **pulito - sporco**
comfortable - uncomfortable **comodo - scomodo**
dark - light **chiaro - scuro**
different - same **differente - uguale/stesso**
easy - difficult **facile - difficile**
elegant - sporty (casual) **elegante - sportivo**
expensive - cheap **caro (costoso) - economico**
far - near (close) **lontano - vicino**
fast - slowly **veloce - lento**
friendly - unfriendly **amichevole - scontroso**
full - empty **pieno - vuoto**
fun - boring **divertente - noioso**
generous - greedy **generoso - avaro**
good - bad **buono - cattivo**
happy - unhappy **felice - infelice**
heavy - light **pesante - leggero**
hospitable - inhospitable **ospitale - inospitale**
hot - cold **caldo - freddo**
important - unimportant **importante - irrilevante**
intelligent - stupid **intelligente - stupido**
interesting - boring **interessante - noioso**

kind - unkind **gentile - scortese**
large/wide - narrow **largo - stretto**
lazy - active/dynamic **pigro - attivo/dinamico**
long - short **lungo - corto**
modern - ancient **moderno - antico**
new - old **nuovo - vecchio**
nice - disagreeable **simpatico - antipatico**
open - closed **aperto - chiuso**
outgoing - introverted **estroverso - introverso**
patient - impatient **paziente - impaziente**
polite - rude/poorly mannered **educato - maleducato**
poor - rich **povero - ricco**
right - wrong **giusto - sbagliato**
same - different **stesso/uguale - differente/diverso**
sensitive - insensitive **sensibile - insensibile**
serious - playful **serio - scherzoso**
silent - noisy **silenzioso - rumoroso**
thin - fat **magro - grasso**
slim - robust **snello (magro) - robusto**
stressed - relaxed **stressato - rilassato/calmo/tranquillo**
strong - weak **forte - debole**
sweet - bitter **dolce - amaro**
tall - short **alto - basso**
young - elderly(old) **giovane - anziano (vecchio)**

16. I colori

beige - **beige**
black - **nero**
blue/light blue - **azzurro/celeste**
brown - **marrone**
fuchsia - **fucsia**
gray - **grigio**
green - **verde**

navy blue - **blu**
orange - **arancione**
pink - **rosa**
purple - **viola**
red - **rosso**
white - **bianco**
yellow - **giallo**

Frasi utili
• Com'è? *How is it?*
• Di che colore è? *What color is it?*

17. Gli animali

ant - **formica**	hen - **gallina**
bee - **ape**	horse - **cavallo**
bird - **uccello**	lamb - **agnello**
butterfly - **farfalla**	lion - **leone**
calf - **vitello**	mosquito - **zanzara**
cat - **gatto**	mouse - **topo**
chick - **pulcino**	pig - **maiale**
cow - **mucca**	pigeon - **piccione**
dog - **cane**	rabbit - **coniglio**
donkey - **asino**	rooster - **gallo**
duck - **anatra**	sheep - **pecora**
elephant - **elefante**	snail - **lumaca**
fish - **pesce**	snake - **serpente**
fly - **mosca**	squirrel - **scoiattolo**
frog - **rana**	turkey - **tacchino**
goose - **oca**	turtle - **tartaruga**
hamster - **criceto**	wolf - **lupo**

Finito di stampare nel mese di Luglio 2019
da *Modulgrafica Forlivese* - Forlì
per conto di Guerra Edizioni Edel srl - Perugia